TURQUOISE

Extraits du catalogue

Collection Turquoise

Turquoise Médaillon

Turquoise Sortilèges

KATY BELAIR

L'ANGE DE BOGOTA

Turquoise Médaillon

PRESSES DE LA CITÉ

9797 rue Tolhurst, Montréal H3L 2Z7 - Tél.: 387-7316

1

Le président de la Chambre des députés leva la main pour demander le silence. Le brouhaha s'apaisa lentement.

— La parole est à la *señora* Ayala de Villarosa.

Un long murmure lui répondit. Quelques sifflets se firent entendre dans la vieille enceinte et tous les visages se tournèrent vers la partie supérieure gauche de l'hémicycle.

Une jeune femme se levait, une liasse de documents à la main, et se dirigeait vers le pupitre des orateurs. Elle était pâle et résolue.

— Courage, Consuelo, lui souffla Rafaël Garcia, député de Carthagène. Tiens bon !

Consuelo le remercia d'un sourire crispé et descendit calmement les marches qui menaient à la présidence et à la tribune. Les sifflets reprirent, les plaisanteries douteuses fusèrent :

— Tu es trop belle pour faire ce métier, lança grossièrement un député conservateur.

Indifférente au tumulte qui se déchaînait maintenant derrière elle, la jeune femme monta lentement à la tribune, consciente que son destin se jouait à cet instant. Il était trop tard pour reculer.

— Dehors les démagogues ! hurla soudain l'un des représentants des planteurs de café au Parlement de Colombie.

— Démagogues vous-mêmes !

Des rangs de la gauche et des libéraux, la riposte fusait. Les invectives jaillirent de part et d'autre. Consuelo, le visage serein, s'appliquait pendant ce temps à régler la hauteur du micro. Son cœur battait très vite.

« Julio, aide-moi ! »

Le beau visage altier de son mari et son sourire tranquille, un instant lui apparurent. Elle ferma les yeux. Julio était devant elle.

Julio était mort ! Mais elle s'apprêtait à affronter le Parlement parce qu'elle lui avait promis de poursuivre son œuvre.

Un énorme chahut éclata sur les bancs de la majorité. Manuel Garcia, secrétaire général du parti conservateur, et ses amis, n'étaient pas disposés à laisser parler la jeune député de Bogota-sud.

— *Señor présidente, señoras y señores...*

Le tumulte reprit de plus belle, accru par les injures de l'opposition. Le président, flegmatique, laissa passer l'orage. Consuelo était parfaitement calme. Ce qu'elle avait à dire, elle le dirait ; de toutes ses forces, de tout son cœur ; pour Julio, pour Paco, son petit garçon, pour ses électeurs. Et pour elle-même.

Les partisans de la jeune femme l'encourageaient :

— *Vaya,* Consuelo ! *Diga lo ! Diga lo !* (1)

Tapi au deuxième rang sur les sièges inconfortables, un gros homme, à la barbe bleue gardait

_____

(1) Vas-y, Consuelo ! Dis-le !

les yeux fixés sur la jeune femme : Rafaël Montello, la trentaine lourde et tapageuse, semblait fasciné. Mais Rafaël Montello s'intéressait peu aux charmes de Consuelo. Il était l'un des principaux porte-parole des producteurs de café. Les *cafeteros* détenaient la principale richesse du pays. Ce que Consuelo s'apprêtait à dire gênait considérablement Montello. Ses mandataires maniaient trop d'argent, et possédaient trop d'intérêts, dans tous les milieux, pour qu'on puisse les mettre impunément en cause. Mais il ne pouvait pas empêcher Consuelo de parler.

Julio, son mari, était mort un an auparavant dans un accident de voiture surprenant et d'aucuns y avaient vu la main de puissances occultes. Le député de Bogota ne s'apprêtait-il pas à faire des révélations gênantes à cette même tribune où se trouvait maintenant Consuelo ?

— Elle est courageuse, entendit Montello tout près de lui.

— Et belle !

Un troisième député fit une plaisanterie graveleuse qui se perdit dans le bruit ambiant.

— *Señor présidente, señoras y señores...*

Le brouhaha se calmait. Consuelo se redressa, ajusta une fois de plus la hauteur du micro et enchaîna :

— ... la situation d'insécurité qui règne dans ce pays, en général, et à Bogota, en particulier, en fait l'un des plus dangereux du monde et la Colombie se trouve désormais au rang des bannis de l'échiquier international. A l'évidence, la carence des partis au pouvoir depuis vingt ans, et celle du gouvernement, dont ces partis occupent tous les postes depuis le même temps, sont responsables de cet état de choses.

Trouvez-vous normal que quatre banques soient attaquées au même moment dans la même rue ? Trouvez-vous normal que les agresseurs ne soient jamais arrêtés ? Trouvez-vous normal que les voleurs sévissent à Bogota en toute impunité et qu'on soit obligé de retirer ses essuie-glaces quand on arrête sa voiture le long d'un trottoir ? Trouvez-vous normal que rien ne puisse se faire normalement, que l'administration soit paralysée ? Trouvez-vous normal que la corruption règne jusqu'aux plus hauts degrés de l'Etat ? Trouvez-vous normal qu'un groupe d'hommes dicte sa loi à trente millions d'habitants dans ce pays qui est le nôtre, au nom de quelques intérêts privés ?

— Des noms, des noms !

Rafaël Montello se redressa sur son siège et desserra sa cravate d'un geste brusque. Consuelo s'était interrompue et son visage avait pâli.

— Qu'elle est belle ! Dieu qu'elle est belle ! murmura à nouveau l'admirateur de la jeune femme.

Les yeux noirs de l'oratrice brillaient de tout leur éclat. Les longs cheveux, noirs aussi, coiffés en sages bandeaux pour l'occasion, ne parvenaient pas à masquer la sensualité secrète qui émanait du visage ovale et régulier, aux pommettes hautes. Consuelo Ayala de Villarosa avait du sang indien dans les veines, comme soixante-dix pour cent de Colombiens, mais elle en était fière. Les familles de bonne lignée comme la sienne cachaient souvent cette origine. Consuelo l'assumait avec orgueil.

— Vous voulez des noms ? Vous allez en avoir...

10

La voix était sèche, précise et assurée. Le silence se fit soudain comme si chacun avait senti que la frêle jeune femme en robe blanche qui lui faisait face détenait un pouvoir magique.

Consuelo jeta un coup d'œil au buste de Simon Bolivar, le libérateur de la Colombie, et prit sa respiration :

— Quand je parle d'un groupe d'hommes, je parle des *cafeteros,* des transporteurs et de la véritable mafia qu'ils sont parvenus à créer avec la bénédiction des pouvoirs publics. J'accuse Alberto Rodriguez de Canama, ministre de l'Intérieur, d'avoir touché 123 000 dollars d'une grande firme anglaise pour favoriser un marché passé le 24 novembre 1979. Je dis que la démission du président de l'*Ortega Company and Jimenez Ltd* a été suscitée par trois hommes de main des *cafeteros.* Je dis que le trafic des émeraudes passe par deux fonctionnaires du ministère des Mines et qu'il se fait au vu et au su d'une banque dont je donnerai le nom si vous le souhaitez.

« Je dis, reprit-elle, que Rafaël Montello ici présent (et Consuelo, se penchant, désigna le gros homme du doigt) a eu, le 14 avril 1979, et le 15 décembre 1980, des contacts avec les Etats-Unis pour renverser le régime. Et je le prouverai !

— C'est faux !

Rafaël Montello avait jailli de son siège comme un diable de sa boîte. Le visage écarlate, il agitait les bras vers la jeune député et s'étranglait de rage.

— C'est vrai !

Cinglante, la réplique de Consuelo fusait. Penchée vers Montello, le visage résolu, les yeux étincelants, elle brandissait maintenant le texte de son intervention :

— Je prouverai tout ce que j'avance.

Le tumulte avait repris de plus belle. Debout, les partisans de Consuelo l'applaudissaient à tout rompre. Députés libéraux et conservateurs, les deux partis qui alternaient au pouvoir depuis vingt ans, échangeaient leurs premiers commentaires à haute voix :

— Incroyable !

— Elle est folle !

Un homme jeune, à l'élégant costume bleu marine, dévala les escaliers et se précipita vers la tribune ou Consuelo attendait le moment de reprendre la parole.

Le regard perdu, lointain, droite dans sa robe bien coupée, une main passée dans sa ceinture de cuir rouge, elle affectait l'indifférence.

— Consuelo ! Ils vont te tuer pour ça ! Tu ne sais pas ce que tu dis. Tu es dingue ! La mort de Julio ne t'a donc pas suffi ? Consuelo, je t'en supplie, arrête ! Descends de là ! Viens, suis-moi. Je t'en prie !

Cramponnée des deux mains à la barrière de bois polie par les ans qui fermait l'accès à la tribune, Ramon de Capamarcos, député de Medellin, l'une des grandes villes de Colombie, suppliait la jeune femme. Ses yeux bleus levés vers elle, il insistait :

— Disparais ! On dira que tu as eu un malaise. Pense à Paco, ton fils. Et à Julio !

Le tintement aigre de la sonnette du président retentit, dominant le tumulte sans parvenir à l'apaiser. Consuelo regarda l'homme qui dirigeait les débats. Il l'interrogea d'un mouvement du menton. La réponse fut muette mais nette.

Le président soupira et appuya de nouveau sur sa sonnette. Les dés étaient jetés. Il savait que Consuelo irait jusqu'au bout.

— Ne sors pas sans moi, lança précipitamment Ramon. Pour l'amour de Dieu, ne sors pas seule dans Bogota. Attends-moi. Promis ?

La jeune femme hocha la tête et s'avança vers le micro :

— *Señor présidente,* je demande la parole.

Vingt requêtes identiques furent aussitôt vociférées sur les bancs des libéraux et des conservateurs. S'ils parvenaient à prendre la parole, ils ne la lâcheraient plus et Consuelo ne pourrait pas s'exprimer !

Elle vit Ramon de Capamarcos lui faire signe du fond de la salle avant de sortir. Où allait-il ? Elle crut deviner et ferma les yeux.

— Monsieur le président, je n'ai pas terminé mon intervention. Je désire continuer.

Le président de la Chambre des députés leva la main :

— La parole est à madame le député de Bogota, la *señora* Ayala de Villarosa.

— *Ayala, fuera ! Ayala, fuera !* (1)

La plus grande partie des députés réclamait maintenant le départ de Consuelo. Elle comprit qu'ils avaient tous peur, corrompus ou pas. Si quelqu'un mettait un pied sur la termitière, celle-ci risquait de s'écrouler complètement, tant elle était fragile.

D'abord flattée de sa nouvelle puissance, la jeune femme réalisa simultanément que Ramon avait raison : elle n'était plus en sécurité. Dans ce pays de violence extrême, Montello et les

_____

(1) Ayala, dehors !

13

siens ne lui pardonneraient jamais ce qu'elle avait dit, ce qu'elle s'apprêtait à dire.

— Monsieur le président, je demande la parole.

Il appuya de nouveau sur sa sonnette. Un calme relatif s'établit, et les cris se calmèrent.

— *Señoras y señores,* reprit Consuelo en serrant fortement le micro, je conçois que les paroles que j'ai prononcées aient de quoi émouvoir un certain nombre d'entre vous. Elles ne signifient pas que ce pays soit complètement perdu. Mais il faut qu'il se reprenne, ce pays ! Il faut que cette formidable corruption cesse. Et il ne faut pas laisser le soin de faire le ménage à d'autres personnes que celles qui se trouvent dans cette assemblée. C'est notre affaire. Sinon, vous savez ce qui se passe...

Un torrent d'applaudissements jaillit sur les bancs des libéraux. Consuelo avait les yeux fixés sur le ministre conservateur de l'Intérieur, Alberto Rodriguez de Canama, un gros homme aux paupières lourdes, presque closes sur les secrets de l'Etat. Elle le savait corrompu, comme elle savait que Julio était mort, sinon sur son ordre, du moins avec son accord.

Le ministre la regarda à son tour, froidement. Il la soupesait, évaluait sa force, son courage et son poids politique. Mais Consuelo lut dans ses yeux un respect nouveau. Comme si le vieux politicien cynique éprouvait tout d'un coup quelque chose qui ressemblait à de l'admiration.

Les applaudissements cessèrent rapidement et les invectives reprirent aussitôt, laissant peu de chances à l'oratrice.

— La séance est suspendue, décida brusquement le président, incapable de rétablir le calme.

Les députés se levèrent. Des poings se tendirent vers Consuelo, des injures volèrent à nouveau dans l'hémicycle. La jeune femme se contint et, très pâle, concentra tous ses efforts pour empêcher de couler les larmes de rage qu'elle sentait sourdre aux coins de ses paupières.

Quatre hommes surgirent soudain à ses pieds et, sans lui demander son avis, prirent place autour de la tribune. L'un d'eux leva un pouce vers elle pour la rassurer :

— Nous sommes des amis du *señor* de Capamarcos.

Consuelo comprit. Le jeune député de Medellin avait pris des dispositions pour la protéger. En Colombie, le recrutement de gardes du corps en tous genres fleurissait face à l'abondance des crimes et des vols quotidiens.

— Merci. Je n'ai pas besoin de vous. Je me débrouillerai toute seule.

L'homme haussa les épaules et fit face à la salle, juste à temps pour arrêter trois députés gesticulants qui voulaient interpeller Consuelo.

Celle-ci ouvrit la barrière de la tribune et descendit les premières marches de bois.

— *Señora* de Villarosa, nous exigeons des explications, dit l'aîné des trois hommes.

Les gardes du corps se rapprochèrent et Francisco Lopez, qui venait d'apostropher Consuelo, recula :

— Vous êtes déjà protégée ! ricana-t-il. Vous faites bien, *señora*. Vous en avez trop dit. J'espère que vous pourrez prouver vos assertions. Mais que vous le puissiez ou non, je tiens à vous répéter que vous êtes folle.

— Il était temps que quelqu'un dise tout cela, monsieur le député.

— Ce n'était pas à vous de le faire, intervint un certain Montaldo, qui représentait Santa-Maria à l'Assemblée.

— Pourquoi ? Parce que je suis une femme ?

— Exactement ! Vous êtes belle, *señora,* très belle. Mais trop jeune. Ces jeux ne sont pas pour vous. Vous permettrez à un vieux parlementaire de vous mettre en garde. Retirez-vous et oublions tout ça.

— Est-ce une proposition officielle, *señor* Montaldo ? Parlez-vous au nom de votre groupe ?

— Non. Mais mon conseil demeure. Retirez-vous. Et retirez vos propos.

— Jamais !

Les quatre gardes du corps et les trois députés furent sidérés par la fermeté du ton. La jeune femme serait inébranlable, ils le sentirent tous.

— Bravo, Consuelo ! lancèrent négligemment deux représentants du peuple, qui passaient par là et se dirigeaient vers la buvette.

Elle les regarda à peine. Ramon de Capamarcos réapparut et se dirigea vers le groupe :

— Viens, fit-il sans tenir compte des autres.

— Je reste. La séance va reprendre. Je veux continuer. Je n'ai pas tout dit.

Montaldo et ses deux amis se retirèrent avec un soupir de lassitude. Ramon insista :

— Tu vas te faire écharper ! Et nos amis eux-mêmes n'y pourront rien. On ne met pas fin à l'injustice et à la corruption d'un grand pays en un seul discours. Laisse tomber. Viens !

16

Il avait pris le bras de Consuelo mais la jeune femme se dégagea lentement :

— Je n'ai pas terminé, Ramon. Comprends-le. Laisse-moi.

Le tintement de la sonnette résonna dans l'hémicycle presque vide. Mais elle n'attira que quelques membres de l'opposition de gauche. Conservateurs et libéraux s'étaient donné le mot pour ne pas retourner dans l'hémicycle.

Consuelo n'eut effectivement aucun mal à reprendre le fil de son discours. Il y avait neuf députés en séance et pas un journaliste, elle le constata en jetant un bref coup d'œil aux bancs de la presse.

La rage au cœur, la jeune femme abrégea. A quoi bon ? Ses dernières paroles recueillirent trois applaudissements polis. Le président leva la séance.

— Vous voyez, lança Consuelo à ses gardes du corps, il ne s'est rien passé. Merci quand même. Vous remercierez notre ami, le *señor* de Capamarcos.

— *Señora,* nous avons ordre de ne pas vous quitter, dit le plus âgé des quatre hommes.

— Et que comptez-vous faire ?

— Obéir.

Consuelo voulut protester. Mais les paroles de Ramon lui revinrent soudain en mémoire : « Ils vont te tuer pour ça. La mort de Julio n'a donc pas suffi ? Pense à Paco. »

— D'accord, dit-elle, je vous remercie. Allons.

Ils sortirent sur la place Bolivar. C'était l'été et la jeune femme apprécia, en franchissant la porte du Capitole, la bouffée d'air encore chaud qui la caressa. Bogota est à 2 300 mètres d'altitude et la fraîcheur y vient vite.

La vaste place, au style colonial austère, les grandes dalles centrales où se pressait une foule paisible de touristes et de badauds la rassurèrent. Elle jeta un coup d'œil rapide à la basilique Primada, à l'église San Ignacio, à la cathédrale. Leur sévère alignement lui donna un certain sentiment de plénitude. Elle aimait cette ville, sa ville.

Les montagnes de Monteserrat et de Guadalupe, qui dominaient Bogota, lui semblèrent proches ; et l'immense vierge blanche, tout en haut de la Guadalupe, lui parut veiller sur elle.

Consuelo se secoua comme un sportif qui reprend souffle. La séance qui venait de se terminer n'aurait été qu'un cauchemar. S'efforçant de chasser de son esprit le regard mauvais du ministre de l'Intérieur et le regard lourd de Rafaël Montello, elle sourit à ses gardes du corps :

— Vous avez une voiture ?

— *Si, señora.*

— Je rentre chez moi. C'est dans la sixième rue (1), tout près de San Agustin, une vieille maison blanche, coloniale, avec des balustrades. Mais je passerai d'abord avenue Jimenez, où j'ai une course à faire.

Les quatre hommes hochèrent la tête et se dirigèrent vers leur voiture, une vieille Oldsmobile garée entre deux bus rouge et blanc.

Consuelo monta dans sa petite Fiat et mit le

(1) Les rues, en Colombie, portent rarement des noms, mais plutôt des numéros. Il en va de même pour les boulevards et les avenues.

18

contact. L'Oldsmobile démarra derrière elle, remontant la circulation démentielle de la huitième avenue. Avenue Jimenez, elle tourna à droite pour s'arrêter bientôt devant l'église San Francisco, l'une des plus vieilles de Bogota, posée là comme une chapelle égarée.

La jeune femme aimait l'intérieur de San Francisco et la formidable collection de tableaux qu'elle contenait. Fait étrange, personne n'avait encore osé les voler ! Mais Consuelo n'allait pas à l'église. Elle entra dans une boutique de mode et en ressortit presque aussitôt, un paquet sous le bras. Elle souriait de toutes ses dents, heureuse, soudain, et légère. L'un des gardes du corps resté au volant de la voiture, garée en double file, eut la même exclamation que le député de tout à l'heure :

— Qu'elle est belle !

Ses compagnons acquiescèrent sans mot dire. L'Oldsmobile suivant la Fiat, ils empruntèrent la sixième avenue et se dirigèrent vers la maison de Consuelo.

Un chien aboya joyeusement et Maria-Luisa, la vieille nourrice qui avait élevé Consuelo, se précipita quand elle entendit le moteur gronder au bout du jardin. Un enfant de cinq ans, beau comme un jeune dieu, courait derrière elle en tendant les bras :

— Maman !

La jeune femme serra Paco contre elle et caressa les boucles noires de son fils. La porte se referma sur les deux femmes, l'enfant et le chien. Les gardes du corps restés dehors secouèrent lentement la tête à ces images de bonheur simple. Ils n'auraient peut-être pas trop de travail pour garder une jeune personne aussi

19

sage. Mais Ramon de Capamarcos les avait prévenus : « Elle est en danger de mort. Et je ne veux pas qu'elle meure. »

Ils avaient touché une substantielle avance et s'apprêtaient à passer la nuit devant la vieille maison coincée entre deux buildings modernes. Le béton gagnait Bogota.

Des rires heureux montèrent de la fenêtre ouverte. Jaime, le responsable des gardes du corps, sortit un gros pistolet de sa ceinture et le contempla rêveusement avant de murmurer :

— Je me demande qui peut en vouloir à ce point à une femme pareille...

2

La sonnerie du téléphone résonna brutalement dans la nuit. Consuelo sursauta et regarda son réveil lumineux : trois heures du matin. La deuxième sonnerie la précipita vers l'appareil. Il ne fallait pas que Paco se réveille.

— Oui ?

— La *señora* Ayala de Villarosa ?

— *Si. Quien es ?* (1)

— Tu as tort. Tu ne sais pas tenir ta langue. Ce qui est arrivé à ton mari n'a donc pas suffi ?

La voix anonyme était sèche, brutale, mais pas vulgaire. Complètement éveillée maintenant, Consuelo essayait de garder son sang-froid, d'identifier son interlocuteur :

— Au nom de qui parlez-vous ?

— Tu le sais très bien. Un mot de plus et tu as droit aux représailles. Gare à ton fils ! Et gare à toi !

Il y eut un déclic. Plus rien que le silence, lourd, oppressant. Une moto passa dans la huitième rue en pétaradant. Il faisait froid et Consuelo frissonna. Elle regarda par une fente du volet. Rien ne bougeait dans l'Oldsmobile

(1) Oui, qui est à l'appareil ?

garée devant sa porte, mais une lueur de cigarette y rougeoyait. Les amis de Ramon veillaient.

Elle se sentit soudain éperdue de reconnaissance envers le jeune homme et fut tentée de l'appeler pour le remercier. Le combiné décroché, elle hésita pourtant, le reposa comme à regret sur son socle. Car Ramon accourrait aussitôt.

Il attendait ce moment depuis des mois et des mois. Quand Julio vivait encore, Consuelo et lui formaient le couple le plus sympathique de la capitale. L'intelligence de Julio et son charme, la beauté de Consuelo et sa finesse les faisaient rechercher par tous leurs amis. Aucune soirée ne se donnait dans Bogota, soit dans les riches villas du quartier nord, soit dans les vieilles demeures de Candeleria, qu'ils n'y soient invités.

Julio passait alors pour un futur ministre. Consuelo finissait ses études de français et de latin quand elle l'avait rencontré, un soir, par hasard...

Sa voiture était en panne, devant le musée El Chico. Julio s'était arrêté, avait proposé ses services. Ils ne s'étaient plus quittés !

Elle avait souvent pensé que chaque instant passé loin de lui n'offrait aucun intérêt.

Ramon lui faisait à l'époque une cour désinvolte et rieuse dont Julio ne s'était jamais offusqué, tant le jeune célibataire y mettait d'humour, de discrétion et de bon goût. Ramon allait lui-même de succès en succès et cela seul suffisait à donner des gages au mari le plus soupçonneux.

Consuelo savait pourtant que Ramon de

Capamarcos était amoureux d'elle. Il n'avait jamais eu un geste déplacé, n'avait même pas tenté de l'embrasser, mais elle savait. Et il savait qu'elle savait !

La jeune femme se recoucha, à moitié rassurée par la cigarette de son « gorille ». Personne ne passerait par là et la porte de la cuisine était solidement verrouillée.

Le téléphone la réveilla de nouveau. Huit heures du matin. C'était Manuel de Alvarez, l'un des seuls amis qu'elle comptait au Parlement. Il avait l'âge d'être son père, et l'avait toujours aidée de ses conseils.

— Tu as déclenché une bagarre de tous les diables. Les journaux ne parlent que de ça ce matin. C'est fou. Tu es célèbre. Le *Diario de Bogota* t'appelle « la madone des quartiers pauvres », un autre te traite d'illuminée. Et tous affirment qu'il te reste à prouver ce que tu avances, en soulignant qu'il y a peu de chances que tu le fasses jamais.

— *Por Dios,* Manuel, je le ferai. J'ai des dossiers solides.

— En sûreté ?

— En sûreté.

— Pourquoi ne m'en avoir jamais parlé ?

Consuelo rit légèrement, de cette voix à nulle autre pareille qu'on n'oubliait pas, après l'avoir entendue une fois :

— Parce que je suis une femme secrète, *amigo,* et cachottière.

— J'espère que tu sais ce que tu fais. Prends garde à toi. La séance reprend lundi après-midi. Tu y seras ?

— Bien sûr.

— Bien ! Je te verrai ce soir au *Tequendema ?*

C'était l'un des trois meilleurs hôtels de Bogota. Le président de l'Assemblée donnait le soir même un cocktail dans l'une des salles de réception, en l'honneur d'une délégation de l'UNESCO.

— J'y serai.

— D'accord! A ce soir.

Consuelo eut à peine le temps de boire son premier *tinto* (1) que le téléphone sonna de nouveau. Il le fit toute la matinée. La jeune femme se donna pourtant le loisir d'embrasser un Paco grognon que Maria-Luisa emmenait à l'école.

Elle décrocha finalement le combiné et le laissa à côté de son socle. Qu'il se taise, surtout qu'il se taise…

Seule dans sa chambre, elle se regarda dans un grand miroir ancien, de style espagnol, qui faisait face à son lit. Les beaux yeux noirs étaient cernés mais Consuelo trouva que cela lui allait bien. Elle rejeta en arrière ses longs cheveux et les brossa longuement. Les pommettes hautes, les lèvres sensuelles, les dents très blanches, Consuelo était superbe! Ses admirateurs ne s'y trompaient pas. Elle avait de jolis seins un peu lourds, très fermes, qui se passaient aisément de soutien-gorge, la taille mince, les hanches rondes et des jambes nerveuses aux chevilles fines.

Elle décida brusquement qu'elle serait ce soir la plus belle femme de Bogota, plus belle que les étrangères qui seraient là en grand nombre, toutes vêtues à la dernière mode de Rome ou de Paris.

(1) Café noir très léger dont les Colombiens font une grande consommation à toute heure du jour et de la nuit.

La sonnerie de la porte d'entrée retentit. Consuelo referma les pans de sa robe de chambre et regarda à la dérobée par la fenêtre : Ramon et deux des gardes du corps attendaient qu'elle ouvre. Il faisait exceptionnellement chaud ce matin-là et, au-dessus de la Guadalupe, le ciel était d'un bleu lumineux.

— Tu es radieuse comme le jour !

Ramon prit Consuelo dans ses bras et la tint serrée contre lui, un peu plus longtemps que ne le permettait l'amitié pure. Les deux hommes grommelèrent des bonjours polis. Ramon les présenta.

— Armando et Jaime sont des amis. Ils veulent bien nous aider et ils garderont un œil sur toi en permanence.

— Ce sera une vraie joie, *señora*. Je n'aurai jamais gardé un aussi joli « corps », dit Jaime.

Il était petit, mince mais nerveux et semblait dur comme un roc. Armando était massif et brutal, mais avec une grosse tête ronde sympathique. Il enfonça son coude dans l'estomac de Jaime, qui se mordit les lèvres.

— Entrez, je vais faire du café.

Ils attendirent sagement qu'elle revienne, portant trois tasses sur un plateau d'argent finement ouvragé. Armando but une gorgée du sien et manqua s'étrangler :

— C'est très fort !...

— J'ai appris à le faire comme ça à Rome. Vous n'aimez pas ?

— *Si, señora, si.*

Consuelo avait hâtivement passé un jean et un chemisier rose qui mettait son buste en valeur. Elle se tourna vers Ramon et attendit qu'il parle, en affectant de ne pas avoir remarqué la petite lueur qui s'était soudain mise à danser dans ses yeux.

— Tu es en danger, Consuelo, je te l'ai dit. Je ne sais pas jusqu'à quel point, mais c'est grave. Jaime et Armando, ensemble ou séparément, ne te quitteront pas. La nuit, ils seront relayés par Gaetano et Jep Francisco, que tu connais déjà.

— Tu te trompes, Ramon. Tu exagères toujours tout. Je n'ai besoin de rien ni de personne !

La jeune femme s'efforçait au calme. Mais elle ne pouvait chasser de son esprit toute cette haine perçue hier dans l'hémicycle. Montello se dressant devant elle, et les sarcasmes qui l'avaient souillée. Elle se rappela aussi que, cette nuit même, la lumière d'une cigarette dans le noir l'avait rassurée.

— Je t'en prie, Consuelo, je t'en prie, laisse-moi faire. Je me sentirais tellement plus tranquille !

— D'accord. Jusqu'à lundi soir.

— Non. Jusqu'à ce que tout soit calmé. Tiens, regarde les journaux.

Elle les posa sur une table basse avec un coup d'œil distrait :

— Aujourd'hui, je ne bouge pas d'ici avant 17 heures. Je vais chez le coiffeur dans la troisième avenue, presque au coin de la dix-neuvième. Ensuite je rentre ici et je vais au *Tequendema.*

— Nous tâcherons d'être discrets, *señora,* dit Jaime.

Consuelo remercia d'un signe de tête. Ramon se leva :

— Veux-tu que je passe te prendre ce soir pour aller au truc de l'UNESCO ? A moins que tu n'y ailles, déjà, avec quelqu'un d'autre ?

— Non. Mon invitation est adressée au député, pas à Mme de Villarosa.

— Alors, allons-y entre députés. Je serai l'homme le plus envié de Bogota. Tu veux bien ?

Elle pouvait lui accorder ce plaisir. Elle refusait cependant de lui laisser croire qu'il pourrait obtenir davantage d'elle. Elle ne l'aimait pas, ne voulait pas l'aimer, ne l'aimerait jamais. Elle savait qu'il s'efforcerait de la faire passer pour sienne, ce dont elle ne voulait pas. Même si Ramon, pour nombre de jeunes femmes de Bogota, était une conquête flatteuse, il avait la réputation d'un homme secret et inaccessible.

— A ce soir donc !

Quand il revint, strictement vêtu d'un élégant costume gris anthracite, Consuelo était prête. Elle s'était soigneusement préparée, sous l'œil admiratif et jaloux de Paco :

— Dis, maman, pourquoi tu m'emmènes pas ? Je te promets de ne pas faire de bêtises !

Sa mère l'avait embrassé sur le bout du nez :

— Parce que tu n'as pas l'âge. Mais bientôt je serai très fière de sortir avec mon grand garçon.

— Je veux me marier avec toi.

— Eh bien d'accord ! Mais ce soir je vais voir des gens qui t'ennuieraient beaucoup.

Robe de cocktail rose à grands ramages, sagement décolletée, et chignon sophistiqué accentuant l'aspect sauvage, charnel, de son visage, Consuelo resplendissait. Cela lui donna confiance. A l'instant où Ramon sonna, elle soulignait le brillant de ses yeux d'un dernier coup d'eye liner en se disant que, pour vaincre, elle lutterait avec toutes les armes dont elle disposait. Sa beauté en était une.

Durant le bref trajet jusqu'au *Tequendema*, les deux jeunes gens ne dirent pas grand-chose. Ramon cherchait à deviner quel était le parfum de la jeune femme, et Consuelo pensait à ses gardes du corps. Armando et Jaime suivaient dans une Opel verte.

Quand elle pénétra dans le grand salon beige décoré de peintures contemporaines et de tableaux anciens harmonieusement mêlés, une rumeur parcourut l'assistance :

— La voilà...

Consuelo regretta alors de ne pas avoir lu les journaux. Elle était, par la force des choses, l'héroïne du jour ! Des hommes et des femmes inconnus lui furent présentés en une sorte de tourbillon un peu fou. Elle serrait des mains, tendait la sienne à des lèvres moustachues qui s'inclinaient galamment, écoutait sans les entendre des louanges à n'en plus finir, devinait qu'on lui mentait, et, sous les compliments de circonstance, reconnaissait souvent le fiel et l'envie.

Rapidement arrachée à Ramon, elle parvint enfin à trouver un relatif isolement en compagnie d'un petit groupe d'amis. On lui tendit une coupe de champagne français et une assiette de petits fours. Manuel de Alvarez, son mentor, vint la chercher :

— Viens. Je voudrais te présenter à nos hôtes. Ils ont demandé à te rencontrer.

Toute à ses préoccupations, Consuelo devait faire un effort pour paraître décontractée.

Sous une grande toile représentant la bataille du pont de Boyaca, au cours de laquelle Simon Bolivar avait vaincu définitivement les Espagnols, un groupe d'hommes et de femmes s'ennuyait avec distinction.

Les hommes s'inclinèrent du même mouvement quand Alvarez les présenta à Consuelo :

— Leopold Mokobo, sénégalais, Myriam Loublanski, polonaise, Brian O'Kennedy, irlandais, James Prior, américain, Gaël Quennec, français et Manuel de Varga Cisneros, espagnol.

La jeune femme avait souri à chacun, trouvant la Polonaise étrangement attirante, et l'Irlandais amusant avec ses grandes dents de travers. Mais elle brûlait d'un désir soudain, brutal, absurde, de fixer à nouveau les yeux sur Gaël Quennec. Il ressemblait à Julio !

Elle sut néanmoins au même instant que son émoi ne tenait pas à cette seule ressemblance. Celle-ci était réelle mais n'expliquait pas tout. Il y avait autre chose.

— Nous sommes heureux de connaître celle dont toute la Colombie parle aujourd'hui, dit Leopold Mokobo. Il paraît que vous êtes un archange, de sexe féminin, se battant, seule, contre la corruption.

— C'est trop d'honneur. Mais je ne suis pas seule, croyez-le bien. J'ai de nombreux amis...

— De nombreux ennemis aussi, je suppose ?

L'intervention venait de Gaël Quennec. Sa voix était grave, chaude, ironique, sûre d'elle et précise. Consuelo osa le regarder en face.

Très grand, très mince, la taille bien prise dans un costume sombre de grand faiseur, le visage mat et les yeux bleus, une mèche sombre barrant son front, la bouche bien dessinée, il était séduisant, désinvolte et protecteur. « Typiquement français », le classa aussitôt Consuelo.

— Vous avez en France un dicton qui dit, je

crois : « Protégez-moi. de mes amis ; mes ennemis, je m'en charge. »

La jeune femme s'était exprimée en un excel-
lent français.

— Non seulement belle, mais cultivée. On
m'avait dit que les Colombiennes l'étaient. On
était en dessous de la vérité, madame !

— Je ne suis pas toutes les Colombiennes. Il y
a encore chez nous bien des gens qui parlent à
peine l'espagnol. Allez donc voir dans les *tuge-
rios* (1) près de Bogota, par exemple… Mais ce
n'est pas pour cela que vous êtes venus, je crois,
messieurs.

— Non. Nous sommes en mission pour le
compte de l'UNESCO, afin d'organiser une
exposition consacrée à la culture sud-américaine
et notamment aux civilisations précolom-
biennes.

Gaël Quennec ne quittait pas Consuelo du
regard. Elle parlait maintenant avec Manuel de
Alvarez et James Prior, mais n'en sentait pas
moins les yeux du Français rivés sur elle. Jaime,
tout près d'elle, lui fit un léger signe de tête ; sa
présence lui rappela les menaces évoquées par
Ramon.

Pouvait-il y avoir, ici même, ce soir, un
danger ? Cette pensée la fit frissonner.

Une jeune femme venait vers elle en lui
tendant les bras. Catalina d'Almeida et
Consuelo avaient été en classe ensemble. Puis
Catalina avait épousé un riche *cafetero* et vivait
maintenant à Baranquilla, sur la côte atlantique.

— Viens une seconde, souffla-t-elle.

(1) Bidonvilles.

30

Elles se retirèrent dans un petit salon-bureau miraculeusement vide :

— Consuelo, je suis venue t'avertir. Felipe, mon mari, est fou de rage. Je l'ai entendu ce matin téléphoner, je ne sais pas à qui. Mais il a donné des ordres pour qu'on retrouve « les dossiers de cette folle ». Pardonne-moi, ce sont ses propres termes. Il a aussi ajouté : « Il ne faut pas qu'elle continue ! Trouvez-moi ces dossiers, sans eux elle ne peut rien. »

La députée de Bogota se raidit et son amie, stupéfaite, vit son visage blanchir de colère sous le maquillage léger. Elle se contint pourtant et embrassa Catalina :

— Je te remercie du fond du cœur, tu es une amie véritable. Mais je ne risque rien. Tout est calculé. Et je compte bien parler lundi à la tribune du Capitole. Ne t'en fais pas !

A ce moment les deux jeunes amies furent littéralement happées par un groupe qui bavardait avec animation. Une femme et un homme que Consuelo ne connaissait pas la bousculèrent délibérément et l'homme jura entre ses dents. Il poussa presque aussitôt un cri de douleur : Jaime, tout en affectant de ne pas le voir, venait de lui écraser le pied de toutes ses forces.

Gaël Quennec s'approcha de Consuelo, suivi de l'Irlandais, et s'inclina avec un léger sourire :

— Permettez-vous à un Français présomptueux et ignorant des usages colombiens de vous inviter à dîner ?

— Je suis désolée, je suis prise ce soir.

— J'en étais naturellement certain et je vous prie de m'excuser. J'espère pourtant avoir l'occasion de vous revoir très bientôt.

Consuelo inclina la tête, sans répondre. Elle

avait menti : sa soirée était libre. Mais l'audace du jeune homme l'avait agacée. Ces Français se croyaient tout permis...

La haute silhouette nonchalante s'éloignait déjà vers la sortie.

— Excusez-moi, dit-elle à l'Irlandais.

Elle se détourna, marcha vers Gaël Quennec qui lui tournait le dos, le rattrapa, fit deux pas à ses côtés, se planta devant lui et l'obligea à s'arrêter. Il semblait sidéré.

— Ce n'est pas vrai ! Je ne suis pas prise ce soir. Et je serais... je serais très heureuse de dîner avec vous...

— Belle, cultivée... et courageuse !

Lui baisant la main pour la seconde fois, il murmura, gravement cette fois :

— Votre attitude me touche plus que je ne saurais dire !

Il lui offrit son bras. Elle s'y appuya lentement.

Elle ne vit pas Ramon, qui la regardait partir au bras de Gaël. Jaime, passant à son tour devant lui, l'entendit l'avertir d'une voix attristée :

— Veille bien sur elle !

Jaime acquiesça et descendit à son tour l'escalier du *Tequendema.*

3

Il pleuvait. Le portier leva les bras au ciel quand Consuelo lui demanda de trouver un taxi. Un taxi à Bogota un soir de pluie !

Une Buick jaune coupa la circulation démente de la vingt-sixième rue, juste avant le pont de la dixième avenue qui l'enjambe, et vint se ranger devant le dais du *Tequendema* sous lequel Gaël et Consuelo attendaient patiemment. Jaime surgit de la Buick, hilare, et ouvrit la portière arrière au jeune couple.

— C'est votre voiture ? interrogea Consuelo.

— Oui, c'est la mienne. Personnelle !

Jaime paraissait très fier de lui. Ils s'installèrent derrière tous les deux.

— Vous êtes gardée ?

Gaël était surpris mais elle ne répondit pas.

— Jaime, dit-elle au contraire, sous le coup d'une inspiration subite, emmenez-nous dans un restaurant sympathique. *El señor* Quennec est français. C'est la première fois qu'il vient en Colombie. Evitons-lui les restaurants habituels. Et faites-moi le plaisir d'être mon invité.

— L'invité d'une dame, *señora ?* Impossible !

— Alors le mien, proposa Gaël.

— Ça oui, ça va. J'ai ce qu'il vous faut,

señora. Et le *señor frances* mangera mieux qu'à Paris !

— J'en suis sûr.

La Buick déboîta avec un mépris total de toutes les règles de la circulation — il est vrai que celles-ci n'intéressent pas grand-monde à Bogota — et, par la vingt-sixième rue, fonça vers l'ouest en direction de l'aéroport El Dorado.

Gaël regardait de tous ses yeux cette ville étrange inondée de lumières, où les buildings de béton, souvent harmonieux, écrasaient de leur hauteur les vieilles maisons coloniales et les masures délabrées.

Avant d'arriver à l'avenue Boyaca, Jaime tourna brusquement à gauche, prit la route de Mosquera, continua pendant un kilomètre environ et s'arrêta devant un grand jardin inondé de pluie. Ils coururent sous l'averse, mais quand la porte s'ouvrit devant eux, Consuelo eut l'impression que sa belle robe était trempée.

— Angelina, je te présente la *señora* Ayala de Villarosa et un *caballero* qui vient de Paris. C'est ma sœur, dit-il modestement.

— La *señora* de Villarosa !

Angelina s'empara de la main de Consuelo et la serra longuement dans la sienne, puis jeta un coup d'œil sur un journal du matin qui traînait sur une table.

— *Santa Maria de Dios, Santa Maria,* dit-elle tout bas. Alberto !

Un gros homme souriant sortit de la cuisine en s'essuyant les mains sur son tablier.

— Alberto, c'est la *señora* de Villarosa.

Le patron se précipita et, sous l'œil stupéfait

34

de Gaël, baisa la main de la jeune femme avant de préciser :

— Nous autres, les petits de ce pays, nous avons trouvé notre sainte, *señor francés*. Nous avons trouvé quelqu'un qui ose parler en face aux marchands de mort, de drogue, d'armes, aux trafiquants et aux hommes corrompus qui nous gouvernent, là-bas, place Bolivar. *Señor,* c'est le plus grand honneur que vous puissiez me faire que de venir ici avec la *señora* Ayala.

Gaël sourit et se pencha vers Consuelo, tandis qu'Angelina et Alberto, couvés par Jaime, préparaient leur meilleure table.

— Bělle, courageuse et maintenant, sainte ! Diable...

— Mes compatriotes exagèrent toujours beaucoup.

— Je ne crois pas.

Il posa sa main sur celle de Consuelo et la regarda dans les yeux. Elle soutint son regard sans ciller.

— Vous me déconcertez complètement. Je n'ai jamais rencontré une femme comme vous. Et je n'ai jamais vu une femme avoir le courage de venir vers un homme comme vous l'avez fait au *Tequendema*.

— Etes-vous certain que je sois bien venue vers vous pour vous ?

Gaël rit. Des rides fines apparurent aux commissures de ses lèvres et aux coins de ses yeux bleus :

— Je ne suis sûr de rien. Mais vous êtes venue. Même si nous devions nous séparer, là, maintenant, pour ne plus jamais nous revoir — ce qu'à Dieu ne plaise — je ne l'oublierais jamais.

Alberto avait mis des fleurs sur la table et dressé le couvert pour trois. Jaime s'approcha et s'assit sans façons. Il était chez lui, et flatté d'y être venu en si bonne compagnie.

Angelina apporta une langouste relevée d'une sauce piquante, des jus de fruits et de la bière, puis un poulet frit, au riz, comme Gaël n'en avait jamais mangé. Il s'en léchait les doigts quand la porte du restaurant s'ouvrit brutalement.

Jaime bondit sur ses pieds. Une rafale de pluie entra dans la grande salle chaleureuse et quatre hommes apparurent, les bras ballants, le visage tendu, sûrs d'eux. Des hommes de main, sans doute, venus des *llanos,* grossir les rangs des chômeurs de la grande ville.

Un lourd silence se fit. Personne n'osait plus parler devant la menace que représentaient ces quatre hommes. Le dernier d'entre eux referma la porte d'un coup de pied.

Ils s'approchèrent de la table de Consuelo, sans desserrer les lèvres. La jeune femme et Gaël se levèrent. L'un des hommes, un grand sec au visage couturé, tendit la main vers le corsage de soie qu'il déchira d'un coup sec. Consuelo le gifla à toute volée.

L'homme ricana et s'approcha de nouveau. Les mains dans les poches, deux de ses complices avaient fait reculer tout le monde vers le fond de la salle. Le quatrième se balançait lentement, d'avant en arrière, les yeux dans ceux de Jaime.

— Tu as besoin d'une leçon, ma belle, dit l'agresseur de Consuelo. Pour t'apprendre à te mêler de ce qui te regarde.

Il fit de nouveau un pas vers elle, ignorant

Gaël. Le jeune Français bondit, très vite, lui saisit à la fois le coude et le poignet droit, fit un rapide mouvement vers la droite, entraînant la brute avec lui. Un claquement sec ! L'homme regarda stupidement son bras cassé et recula en titubant, incapable de comprendre comment ce mince *gringo* en costume bleu avait pu lui faire ça.

Au même instant, Jaime sautait sur son vis-à-vis, le prenait à la gorge, le jetait par terre et se laissait tomber sur lui. Une femme hurla. Son mari lui mit la main sur la bouche.

Un bras tira Consuelo en arrière. C'était celui d'Angelina.

— Venez, *señora,* derrière le comptoir. Ne restez pas là. Je vous en prie.

Mais la jeune femme refusa. Elle s'empara d'une bouteille vide et l'abattit d'un geste sec et violent sur la tête de l'homme au bras cassé qui tentait de se redresser. Il s'écroula en entraînant toute la vaisselle d'une table avec lui. Alberto avait sorti un long gourdin et venait à son tour d'assommer l'un des hommes de main.

La mêlée devint générale. Horrifiée, Consuelo vit Jaime se débarrasser de son adversaire d'une manchette de karaté sur la gorge.

Le dernier des intrus tenta de fuir. Gaël le rattrapa en deux enjambées rapides, le força à se retourner et l'assomma d'un magistral coup de poing sous le menton.

Une jeune fille, parmi les dîneurs, éclata en sanglots. Personne ne se rassit. Aidés par les clients, Alberto et Jaime entreprirent de jeter dehors les malfrats inanimés.

Appuyée contre le comptoir de bois poli, Consuelo sentit un frisson la gagner ; elle n'avait pas eu le temps d'avoir peur, mais le contrecoup se faisait maintenant sentir. Elle serra ses mains l'une contre l'autre pour les empêcher de trembler.

Gaël vint auprès d'elle et la jeune femme leva le visage vers lui. Il haletait encore, son col était déchiré et sa joue droite saignait légèrement, mais ses yeux étincelaient de plaisir. Comme un enfant qui vient de faire une bonne blague.

— C'est toujours comme ça, les dîners en Colombie ?

Elle hocha la tête, incapable de répondre. S'il n'avait pas été là... Et si Jaime n'avait pas été là...

Elle lui sourit :

— Vous avez été formidable ! Merci ! Un vrai champion de judo...

— J'ai été ceinture noire, dans le temps. J'ai également été champion de France universitaire de descente à ski, je sais piloter un avion, je déteste le football et les confitures anglaises, ainsi que les gens prétentieux.

Elle allait répondre sur le même ton lorsque Alberto hurla :

— Vous êtes tous les invités de la maison !

Un long brouhaha de satisfaction et d'excitation accueillit la bonne nouvelle. Chacun reprit sa place et s'efforça de faire comme si rien ne s'était passé. Consuelo n'en sentait pas moins tous les regards fixés sur elle et sur Gaël, qui lui demandait :

— Qu'est-ce que vous leur avez fait, à ces gens ?

Elle haussa les épaules :

— J'ai dit à leurs maîtres des choses désagréables. Ils n'ont apparemment pas aimé.

— Très désagréables ?

— Sans doute.

Jaime se détourna et entama une conversation avec sa sœur. Il percevait l'intimité qui était en train de naître sous ses yeux et se sentait de trop. D'ailleurs personne n'avait plus faim. Ils acceptèrent pourtant le dessert qui était une des spécialités d'Angelina.

Consuelo se demandait quel âge pouvait avoir le jeune Français. Elle lui posa la question.

— Belle, courageuse, sainte et maintenant curieuse. Peste ! Cela fait beaucoup pour une seule personne, fût-elle adorable.

— Vous ne m'avez pas répondu.

— J'ai trente-deux ans, madame, pour vous servir. Et je vais reprendre de ce gâteau. Et de ce café. Formidable !

La jeune femme avait peur et, en même temps, se sentait bien dans le cocon du restaurant. La sensation que Gaël veillait sur elle et que, par conséquent, il ne pouvait rien lui arriver la rassurait. En même temps elle voulait rentrer chez elle, retrouver Paco, se coucher, se cacher...

— Vous semblez fatiguée, observa Gaël.

— Non, ça va.

— Nous allons rentrer. Jaime et moi nous vous ramenons chez vous. D'accord ?

— Et nos amis seront là, enchaîna le jeune Colombien.

— Vous êtes gentils. Mais je ne suis pas fatiguée.

Le hurlement d'une sirène retentit devant le restaurant et mourut presque aussitôt. Trois policiers entrèrent en traînant les pieds. Ils semblaient blasés, durs, fatigués, et se demandaient visiblement pourquoi on les avait dérangés.

— *Ola, Alberto, que tal* (1) ?

Le patron se lança de lui-même dans de grandes explications. Il agitait les bras dans tous les sens pour mieux convaincre ses interlocuteurs. Chacun apporta son grain de sel, soulignant à l'envi les exploits de Jaime et surtout ceux du *gringo* inconnu qui avait assommé « au moins cinq bandits » à lui tout seul.

Le sergent regarda Consuelo et sourit :

— Je ne suis qu'un pauvre flic, madame, mais mon nom est Guttierez, Antonio Guttierez. Je suis au commissariat du cinquième district. Vous faites quelque chose de formidable. Et vous pourrez toujours compter sur mon aide et celle de mes amis. Nous serions heureux de vous prouver que toute la police n'est pas pourrie. N'oubliez pas, *señora :* Antonio Guttierez.

— Je n'oublierai pas.

Consuelo était bouleversée par sa conversation avec le sergent et par les murmures approbateurs que son nom avait déclenchés. Ces gens, Guttierez et les autres, comptaient sur elle !

— Prenez votre temps, *señora.* Nous vous escorterons jusqu'à votre domicile et même, si vous le voulez, nous veillerons sur vous toute la nuit.

La jeune femme remercia, émue.

— Vous êtes une héroïne nationale, ou quelque chose comme ça ? Je ne me trompe pas ?

Il y avait dans la voix de Gaël quelque chose de nouveau et Consuelo le nota avec étonnement :

(1) Alors, Alberto, qu'est-ce qui se passe ?

— Je n'ai rien d'une héroïne. Je ne suis pas courageuse, j'ai peur et j'ai mis le doigt là où il ne fallait pas. Mais je le savais. Alors...

— En tout cas, vous avez beaucoup d'amis...

— C'est vrai. Plus que je ne croyais.

— Et puis, vous m'avez, moi...

Consuelo éclata de rire. Chaleureuse et communicative, sa belle voix rauque, quand elle riait ainsi, était irrésistible.

— Je ne vous ai pas, vous! Nous nous connaissons depuis quelques heures à peine et vous voulez déjà faire partie de ma vie? Je suis sensible à votre attention. Est-ce que tous les Français sont aussi rapides que vous? Vous séduisez les femmes à toute vitesse, comme cela, hop, deux coups de poings et un café, ça y est, c'est gagné?

— Excusez-moi, je me suis mal exprimé. C'est mon espagnol qui me trahit. (Il se pencha vers elle.) Allons-nous-en. Si vous voulez boire un verre quelque part dans Bogota, je me ferai une joie de vous escorter.

— Vous êtes gentil. Mais je voudrais vraiment rentrer. Je suis crevée.

— Confidence pour confidence, moi aussi. Mon avion est arrivé cet après-midi à 18 heures. Le décalage horaire et l'altitude, c'est beaucoup pour un seul homme.

— Où êtes-vous descendu?

— Au *Hilton,* avec le reste de la délégation. J'aurais préféré autre chose, mais je n'ai pas eu le choix.

— On y a une belle vue sur le Parc national et sur la Guadalupe. Vous verrez : Bogota est une belle ville.

— Vous voudrez bien me la faire visiter?

Consuelo sentit qu'elle devait dire non, prétexter qu'elle n'avait pas le temps : trop de travail, son discours à préparer, des visites à faire, n'importe quoi ! Mais ce fut presque malgré elle qu'elle s'entendit répondre :

— Si vous voulez...

Le charme du jeune Français agissait sur elle, à son corps défendant. Personne ne l'avait troublée à ce point depuis la mort de Julio. Elle avait cru, en perdant l'homme qu'elle aimait plus que tout au monde, que sa vie s'arrêterait à jamais. Et, depuis un an, Consuelo passait pour la femme la plus sage de Bogota. De nombreux hommes lui faisaient une cour insistante, mais elle ne cédait rien à personne et ses soupirants n'avaient jamais trouvé le chemin de son cœur.

Gaël sourit :

— Vous avez failli dire que vous aviez quelque chose à faire, quelque chose de plus urgent, n'est-ce pas ? Ne répondez pas, même si je me trompe, laissez-moi croire que c'est vrai.

— C'est vrai, dit tranquillement Consuelo en se levant de table.

Il en oublia de se lever à son tour. Stupéfait devant tant de sérénité, il en négligeait les bons usages.

Lorsqu'il voulut payer, Alberto refusa d'un geste noble.

— Vous serez toujours l'invité de cette modeste maison, *señor !* Parce que vous êtes l'ami de la *señora* de Ayala. Et parce que vous m'avez fait grand plaisir ce soir en neutralisant ces brutes. Je suis votre débiteur, *señor,* ne vous y trompez pas.

— *Vaya con Dios,* dit Angelina en embrassant Consuelo.

De leur table, les clients qui étaient encore là applaudirent ostensiblement la jeune femme. Touchée aux larmes, elle voulut dire quelques mots, mais une boule se formait dans sa gorge. Elle ferma un instant les yeux. Quand elle les rouvrit, elle sut que rien ne l'arrêterait plus sur le chemin qu'elle avait choisi.

Elle se battrait pour la générosité d'Alberto, pour la prière d'Angelina, pour les remerciements des convives, pour la dignité d'Antonio Guttierez. Et pour sa dignité à elle !

Précédée par la grosse voiture de police, son gyrophare allumé, la Buick jaune de Jaime les ramena vers le centre de la ville. Il faisait doux, de cette douceur dont Bogota a le secret, et la nuit était lumineuse.

Dans la voiture, qui roulait lentement, Gaël voulut prendre la main de Consuelo. Elle la retira aussitôt. Il n'insista pas.

Devant le perron du *Hilton,* il se pencha :

— Quand vous reverrai-je ?

Consuelo lui donna son numéro de téléphone et son adresse.

Le jeune Français tapa ensuite sur l'épaule de Jaime :

— *Buenas noches ! Hasta luego.*

— *Buenas noches, gringo.* On s'est bien amusé, non ?

Gaël éclata de rire :

— Oui, on s'est bien amusé. Merci pour tout.

La voiture démarra dans un crissement de pneus impressionnant et fonça dans la nuit. Il y avait peu de circulation.

Appuyée contre le dossier de son siège la tête rejetée en arrière, Consuelo tentait de faire le point. Mais ses pensées se brouillaient. Elle mit cela sur le compte de la fatigue puis dut s'avouer qu'il y avait autre chose : Gaël venait d'entrer dans sa vie. Elle l'avait admis tout de suite. Mais ce « tout de suite », précisément, la terrifiait. Elle avait encore une fois cédé à une impulsion...

En ouvrant sa portière devant chez elle, elle faillit buter contre l'Oldsmobile bleue qui attendait. Une cigarette rougeoyait et quelqu'un, à l'intérieur, lui fit un geste de la main. Rassurée, Consuelo remercia Jaime et rentra chez elle. Paco dormait profondément. Elle contempla un instant le visage de son fils. Comme il ressemblait à son père...

Mais, ce soir-là, Consuelo ne pensait pas à Julio. Elle se jura qu'elle attendrait le plus tard possible, le lendemain, pour appeler Gaël. Mais, de toutes ses forces, elle souhaita qu'il l'appelle le premier.

4

Gaël ne téléphona pas. Mais, le dimanche matin, il sonnait à onze heures à la porte de Consuelo et tendait un énorme bouquet :

— Pour bien commencer la journée !

Le cœur de la jeune femme battit plus vite. Elle était à peine réveillée, la Colombie ne vivait pas à l'heure européenne. Ses longs cheveux, en cascade sur ses épaules, la faisait désarmée et touchante ; il faillit tendre la main pour lui caresser la joue.

Paco venait de surgir derrière sa mère :

— Qui c'est, maman ?

— Un ami français que tu ne connais pas.

Le petit garçon s'avança et contempla un instant le nouvel arrivant. A l'intérêt succéda, très vite, une stupeur sans bornes et Paco se serra contre les jambes de sa mère :

— Il ressemble à papa, maman. On dirait Julio.

Consuelo ne répondit pas et regarda Paco d'un air grave. L'enfant avait raison ; cette ressemblance l'avait frappée, elle aussi. Paco paraissait bouleversé. Son père était mort depuis un an, mais ses traits étaient apparemment fixés à jamais dans sa mémoire.

— Va me chercher un vase et de l'eau, dit-elle, puis à l'adresse de Gaël : Entrez donc !

Le jeune Français avait conscience d'avoir commis une gaffe. Faussement désinvolte il suivit Consuelo dans un grand salon meublé partie en meubles de style colonial et partie en meubles ultra-modernes, de fabrication italienne. Il n'eut pourtant guère qu'un bref regard pour le décor ; sur une commode ancienne de hêtre sombre trônait la photo d'un homme jeune et beau qui lui ressemblait comme un frère ! Ses yeux étaient noirs et son visage plus mince que celui de Gaël, mais ses traits respiraient l'intelligence, la finesse et une immense gentillesse.

Figée, Consuelo gardait les yeux fixés sur l'arrivant. Elle attendait qu'il parle, sachant que s'il se trompait, s'il disait un mot maladroit, elle ne le reverrait jamais.

Paco avait pris la main de sa mère et attendait en silence, lui aussi, la réaction de Gaël.

— Tu as de la chance d'avoir un papa comme ça, dit-il finalement au petit garçon.

— Tu sais, il est mort.

— Eh bien, fit Gaël doucement, aime ta maman encore plus fort et souvenez-vous bien de lui, tous les deux. Il ne faut jamais l'oublier, même quand tu seras très grand et que tu auras des enfants, toi aussi.

Deux larmes perlèrent aux yeux de la jeune femme. Paco se serra plus encore contre elle, levant la tête :

— Il est gentil, ce *gringo*, maman. Comment tu t'appelles ? reprit-il en se tournant vers le Français.

— Gaël.

Paco prit la main de son nouvel ami :

46

— Viens, je vais te montrer mon cinéma. Tu sais, j'ai un vrai cinéma qui fait plein d'images. Tu sais faire du cinéma, toi ?

Consuelo n'entendit pas la réponse. Elle essuya ses larmes et se dirigea vers sa chambre pour s'habiller. Brutal et merveilleux, le souvenir de Julio venait de s'imposer à elle. Un instant, elle crut sentir ses mains sur son corps et revit le sourire qui éclairait son visage quand il disait « je t'aime ».

« Personne ne t'aimera autant que moi, murmurait-il. Et personne ne te désirera comme moi... » « Et personne ne saurait m'aimer comme tu le fais... »

Le rire de Paco résonna soudain dans la pièce à côté. Il y avait longtemps qu'il n'avait pas ri aussi librement, aussi gaiement. Il retrouvait son bonheur d'être. Mais quel était donc le pouvoir de cet homme, se demanda Consuelo, qu'elle ne connaissait pas la veille et qui entrait, tout à coup, en force, dans sa vie ?

La jeune femme finit de s'habiller, se contentant d'un jean qui mettait en valeur la rondeur de ses hanches et d'un chemisier. Elle se maquilla à peine.

Une fois prête, elle se rendit dans la chambre de Paco, mais s'arrêta au préalable dans le salon, quêtant sur le visage de Julio la réponse à la question qu'elle se posait : les beaux yeux graves lui souriaient, mais elle n'y trouva pas ce qu'elle cherchait.

« Pardonne-moi, Julio. »

Une force intérieure puissante, venue du fond d'elle-même, la poussait, quoi qu'elle en eût, vers cet étranger patient et courageux dont elle savait qu'il l'attendait.

Assis par terre sur l'immense poncho de haute laine qui servait de tapis à Paco, son grand corps négligemment allongé, Gaël jouait avec le petit garçon comme s'il avait fait cela toute sa vie. Consuelo ne put s'empêcher de questionner :

— Vous avez des enfants ?

Il éclata de rire :

— Non, pas encore. Je ne suis même pas marié.

— Pourquoi tu n'es pas marié ? questionna Paco.

— Paquito, je ne suis pas marié parce que je n'ai jamais rencontré une femme avec qui j'aimerais me marier.

— Il faut rencontrer une femme pour se marier ? On ne peut pas se marier avec sa maman ?

— Eh ! non, sourit Consuelo.

» En attendant, nous allons aller aujourd'hui à Villa de Leyva chez Pedro et Monica. Et tu vas y rester quelques jours.

— Pourquoi je vais y rester quelques jours ? Et toi ?

« Parce que, pensait Consuelo, j'ai peur pour toi. Parce que je crains la vengeance de mes adversaires politiques. Parce que nous sommes dans un pays de violence où la loi martiale existe depuis trente ans, où tout peut arriver. Parce que j'ai été folle de te laisser seul, hier soir, avec la vieille Maria-Luisa et que s'il t'était arrivé quoi que ce soit, je ne me le serais jamais pardonné. »

Elle se reprit et répondit :

— Parce que tu m'as dit l'autre jour que tu voulais aller jouer avec ta cousine Maria-Pilar. Je pense que ça te fera plaisir ?

— Oh oui !

— Et si tu veux, on ira déjeuner au *Moulin de Mésopotamie*. Tu te souviens ? Tu avais beaucoup aimé.

— Me souviens pas.

— Ça ne fait rien. Tu verras.

Consuelo se tourna vers Gaël :

— Excusez-moi, il va falloir que je vous abandonne. Je dois aller conduire Paco chez ses cousins cet après-midi.

Gaël s'inclina légèrement :

— C'est moi qui vous prie de m'excuser. J'ai envahi votre maison sans crier gare.

— Il vient pas avec nous ? interrogea Paco.

Consuelo hésita. Tout allait trop vite. Encore une fois, elle ne connaissait Gaël que de la veille. Et si elle se sentait violemment attirée par cet étranger, elle ne voulait pas se jeter à son cou. Elle se reprochait déjà sa hardiesse. Il devait croire que c'était joué et sa vanité de mâle se flattait sans doute de sa première conquête en Colombie !

— Allez, maman...

— Vous voulez venir avec nous ? finit-elle par dire, presque à regret.

— Non ! non, pas du tout, j'ai beaucoup à faire. C'est gentil à vous, mais il faut que je range des dossiers et que je commence à voir un peu la ville ! Je ne suis pas venu pour me promener, hélas.

— Si, insista le petit garçon, tu viens avec nous !

— Tu crois ? J'ai beaucoup de travail, tu sais.

— Toutes les grandes personnes ont toujours beaucoup de travail. Mais c'est dimanche. Allez, viens.

— Vous voulez vraiment de moi ?

Il scrutait le visage de la jeune femme, attentif à ce qu'il y verrait. Mais Consuelo savait cacher son émotion. Le destin voulait vraiment qu'elle aille à Villa de Leyva avec Gaël.

— Nous n'irons pas très vite, je n'ai qu'une petite Fiat. Et la route tourne beaucoup.

— Vous permettez que je donne un coup de téléphone ?

La jeune femme montra du doigt l'appareil posé sur une table basse, de verre et d'acier. Gaël forma rapidement un numéro et parla très vite, en espagnol, d'une voix courtoise. Il insistait, tentait de convaincre son interlocuteur, y parvint, raccrocha et se frotta les mains :

— Prenons votre voiture jusqu'au *Hilton*. Je me suis arrangé. Une autre voiture m'attend d'ici dix minutes. Nous la prendrons. Ça vous va ?

— Vous êtes en Colombie ici et c'est dimanche. Nous n'avons pas la même notion de l'heure que vous autres, les Européens pressés. Ça peut prendre une demi-heure, ou deux heures, d'avoir une voiture. Le temps n'a pas la même valeur, ici...

— Mais on m'a bien promis ?

— Allons toujours voir... Je suis sceptique.

Ils sortirent tous les trois rapidement et Consuelo amena la Fiat dans la rue. L'Oldsmobile était toujours là, mais ses occupants faisaient les cent pas un peu plus loin. La jeune femme se dirigea vers eux au moment où la Buick jaune arrivait.

— Allez à la maison, dit-elle, et faites vous servir du café et tout ce que vous voudrez. Faites comme chez vous.

Les deux hommes saluèrent et se dirigèrent vers la maison, après que l'un d'eux eut fait un signe du pouce à Jaime et Armando qui descendaient de la Buick. Les deux gardes du corps portaient des jeans et de légers blousons. Visiblement, ils étaient armés.

La Buick suivant la Fiat, ils parvinrent rapidement au *Hilton*. Le portier tendit des clefs et des papiers à Gaël. Quelques instants plus tard, Consuelo, Paco et lui prenaient place dans une puissante et confortable Renault 20.

— Prenez la route de Tunja par la *carrera* 13, indiqua Consuelo. Ensuite, l'autoroute du nord.

Gaël lança la voiture. Consuelo et lui échangèrent un sourire complice. Derrière eux, Paco avait entrepris de compter les voitures qu'ils croisaient.

— On dirait un jeune couple qui part en week-end, plaisanta le Français.

Le visage de sa passagère se crispa fugitivement. Il s'en aperçut :

— Pardonnez-moi.

Elle lui sourit de nouveau, machinalement. Julio l'avait souvent conduite sur cette même route quand ils partaient, en amoureux qu'ils étaient, visiter la chapelle Saint-Lasare, à Tunja, ou se promener sur les *cojines* des Zaque, où les Indiens, naguère, adoraient le soleil et lui offraient des sacrifices humains.

La Renault grise, toujours suivie par la Buick, traversa rapidement la savane qui entoure Bogota avec ses pâturages et ses riches *haciendas,* lourdes et secrètes, fermées sur leurs richesses. Il faisait chaud, malgré le ciel nuageux.

Ils atteignirent vite Tunja et Gaël attaqua les

petites routes de montagne qui suivaient, Consuelo le dirigeait.

— Allez maintenant vers Cucaïta et Sachica. Ça va tourner un peu.

C'étaient les premières paroles qu'elle adressait au jeune homme depuis un long moment. Paco s'était endormi, bercé par le ronronnement du moteur et sa mère, perdue dans de douloureux et merveilleux souvenirs, avait fermé les yeux.

Chaque fois qu'elle les avait entrouverts, subrepticement, elle avait vu le profil net et dur de Gaël. Elle le trouvait beau, mais sa beauté la déconcertait. Même Julio ne l'avait jamais étonnée comme le faisait cet étranger aux yeux bleus.

— Vous rêviez ?

— Oui, je rêvais.

— C'est bon de rêver. A condition que ça ne fasse pas trop mal.

Il comprenait tout et n'était dupe de rien.

La route était étroite, sinueuse, mais bonne. Attentif à la conduite de la voiture, Gaël se concentrait, regardant à peine Cucaïta, Sachica et leurs églises du xvie siècle.

Il siffla pourtant d'admiration quand, au sortir d'un rivage, lui apparut d'un seul coup la riche plaine de Villa de Leyva et la ville du même nom.

La Buick se rapprochait et Jaime, qui conduisait, leur fit un signe amical. Consuelo suggéra :

— Si vous voulez, nous irons nous promener tout à l'heure, pour voir le vieux village et la grand-place. A cette heure-ci, mes cousins nous attendent.

Ils passèrent près de la grand-place. C'était

52

jour de marché et Gaël dut souvent céder le passage à des cavaliers en poncho ou à des paysans lourdement chargés, eux aussi vêtus du *cuana* traditionnel.

Ayant tourné sur leur droite dans la septième rue, ils remontèrent jusqu'au couvent San Agustin au beau fronton triangulaire, où les cloches étaient accrochées à claire-voie. Sur les instructions de Consuelo, Gaël arrêta la voiture juste derrière l'église et coupa le contact. La Buick s'arrêta à quelques mètres derrière eux.

Le patio de la maison était envahi de fleurs. Pedro et Monica, ne marquant aucune surprise devant Gaël, les accueillirent chaleureusement. Paco et sa cousine disparurent presque aussitôt.

— On parle beaucoup de toi, ma cousine, dit Pedro.

Il montrait une masse de journaux, ceux que Consuelo n'avait pas eu le temps de lire, la veille, à Bogota. Elle affecta de sourire et de les dédaigner. Gaël s'en empara et son visage se durcit. Il avait suffissament étudié la situation en Colombie pour se rendre compte, au premier coup d'œil, de la violence des propos de Consuelo et de leur portée.

La jeune femme était vraiment en danger.

« L'ange de Bogota », comme l'appelait *El Espectador,* si elle remontait à la tribune le lendemain, devrait affronter les pires difficultés. Gaël se jura, faute de pouvoir l'en empêcher, de veiller sur elle.

Elle revenait et passait son bras sous celui du jeune homme avec un naturel qui ne les surprit ni l'un ni l'autre. Tout était naturel entre eux et Consuelo eut la sensation qu'elle connaissait Gaël depuis des années.

— Allons nous promener. Je vais vous montrer l'une des plus belles villes de Colombie, ou, en tout cas, l'une des mieux conservées.

Quelque part, à l'étage, les deux enfants criaient de bonheur et la jeune femme sourit. Paco était maintenant à l'abri. Le poids qui l'oppressait disparut. Elle était seule et libre pour affronter les périls qui la menaçaient.

Mais quand Gaël se tourna vers elle et la regarda, elle sut qu'elle se trompait et que, pour la première fois depuis la mort de Julio, elle n'était plus seule. Cette pensée lui réchauffa le cœur, mais en même temps lui fit un peu peur.

Quand ils sortirent de la vieille maison, toujours bras dessus, bras dessous, Armando et Jaime claquèrent la porte de la voiture jaune et leur emboîtèrent le pas en plaisantant.

Il faisait beau et chaud et ils suivaient un couple d'amoureux.

5

Quand ils reprirent la route de Bogota, le soir, Consuelo et Gaël étaient épuisés. Ils avaient longuement flâné au hasard des rues pavées, parmi les maisons blanchies à la chaux et les massifs de bougainvillées rouges et amarante. Des patios secrets s'étaient ouverts devant eux, lourds de parfum et de mystère.

Consuelo ne parlait plus. Elle avait abondamment commenté leur visite de l'après-midi et Gaël avait apprécié :

— Courageuse, indépendante, belle, sainte... et cultivée. Consuelo, vous êtes une femme parfaite.

Toujours suivis de la Buick jaune, ils fonçaient dans le soir qui tombait. Gaël conduisait avec cette indifférence appliquée des hommes qui aiment les voitures. Consuelo pensait à son discours du lendemain devant le Congrès. Il était déjà écrit, il suffisait de le lire. Elle frissonna soudain au souvenir des injures qui lui avaient été jetées la première fois. Ce serait encore plus difficile.

— Inquiète ?

Elle trouva presque normal que Gaël devinât si bien son angoisse.

— Oui, inquiète.

— Vous êtes vraiment contrainte de le faire ?

La jeune femme hocha la tête.

— Que se passerait-il si vous ne le prononciez pas, ce discours ?

— Je me déshonorerais.

— A vos propres yeux ?

— D'abord. Et puis aux yeux de mes électeurs. Je suis l'élue des pauvres du sud de Bogota. Je suis une bourgeoise, mais il faut se battre pour eux. Ils comptent sur moi. Il y a encore une raison...

Elle hésita. Il ne lui était pas facile de parler de Julio à cet étranger qui la troublait. Mais il le fallait.

— Et il y a votre mari, n'est-ce pas ?

Gaël avait posé la question d'une voix douce et claire, sans aucune acrimonie. Il constatait une évidence et l'énonçait.

— Il y a mon mari. Je poursuis le combat qu'il avait commencé.

— C'est pour ce combat qu'il est mort ?

— Je n'ai jamais pu en être sûre. Si ce n'était pas accidentel, c'était bien imaginé. Un accident de voiture dans une ville comme Bogota, c'est tout à fait naturel. Vous verrez. C'est fou ! Je n'ai jamais su la vérité.

Ils approchaient de Bogota ; la circulation se faisait plus dense, plus lente. Les amateurs de campagne rentraient chez eux, comme dans toutes les grandes villes du monde.

— Excusez-moi. Je n'ai aucun droit de vous parler de votre mari.

— Je n'y vois aucun inconvénient.

A la hauteur du Parc national, à l'entrée de la ville, Gaël constata que la Buick s'était littéralement collée à leur pare-chocs. Les gardes du corps craignaient-ils quelque chose ?

Ils mirent presque une heure à traverser Bogota. Même pour un dimanche, la circulation était démente et les piétons devaient se livrer à leur ballet habituel pour ne pas être écrasés ; il n'y a pas de passages cloutés dans la capitale colombienne et les automobilistes n'ont pas le moindre respect pour les feux de signalisation. La Buick ne décollait pas. Gaël eut un instant la tentation de la semer, par jeu. Il y renonça.

Personne devant la maison de Consuelo. L'Oldsmobile n'avait pas encore pris la relève. La jeune femme descendit la première, introduisit sa clef dans la serrure et poussa une exclamation horrifiée. Gaël se précipita, suivi des deux gardes du corps.

La maison entière semblait avoir été mise sens dessus dessous. Les tiroirs gisaient par terre, la vaisselle avait été retirée du buffet, les vêtements de la jeune femme étaient éparpillés en vrac. La chambre de Paco, elle-même, avait été fouillée.

Consuelo, sans se soucier des trois hommes, appuya sur un coin de la bibliothèque dans le salon. La paroi s'effaça et un petit coffre-fort apparut. Visiblement intact. Les cambrioleurs ne l'avaient pas découvert ! Consuelo ne prit pas même la peine de l'ouvrir.

Elle parcourut toute la maison ; du désordre plus qu'autre chose ! Les intrus ne cherchaient pas à voler. Aucun objet de valeur n'avait disparu et Consuelo retrouva sans peine ses bijoux.

Revolver au poing, Armando et Jaime s'étaient tout de suite mis à fouiller la maison.

Aucune trace. Ils revinrent en rengainant leurs armes.

— Je voudrais, commença Jaime... que nos amis puissent coucher ici. Ils ne vous dérangeront pas, ou le moins possible. Et don Ramon serait beaucoup plus tranquille. Moi aussi d'ailleurs.

Consuelo hésita. L'officialisation de cette garde permanente la choquait. Et puis, ce qui devait arriver arriverait ! Elle consulta Gaël du regard.

— Cela me semble sage, fit-il. Vous ne risquerez plus rien. Et je... Il s'interrompit avant de dire : Je serai plus tranquille.

Consuelo lui sut gré de sa discrétion.

— D'accord, Jaime, je vous remercie de votre proposition. Vos amis seront les bienvenus. Ils dormiront dans la chambre de derrière.

La sonnerie de l'entrée retentit. Armando porta automatiquement la main à son pistolet. Ils éclatèrent de rire tous les quatre. C'était Ramon.

— Vous n'étiez pas là de la journée, commença-t-il, aussi me suis-je permis de venir maintenant.

Il s'arrêta net en apercevant Gaël, s'efforçant de garder son contrôle. La présence du Français lui déplaisait visiblement.

Consuelo fit les présentations :

— Ramon, voici Gaël Quennec, qui fait partie de la mission de l'UNESCO... Ramon de Capamarcos, à qui je dois la protection de nos amis. Ramon est un vieil ami.

— Hélas ! soupira comiquement le jeune député colombien. Il paraît que vous êtes formi-

58

dable pour assommer les gêneurs dans les restaurants et je vous en remercie, monsieur.

— Vous n'avez pas à me remercier.

La réponse de Gaël était plus insolente qu'il ne l'avait souhaitée. Mais le mal était fait. Les deux hommes ne s'aimaient pas et Consuelo sut tout de suite pourquoi : chacun se comportait comme s'il avait des droits sur elle et tentait d'en convaincre l'adversaire.

— Ne vous chamaillez pas, dit-elle d'une voix enjouée. Vous êtes tous les deux mes amis et je déteste quand mes amis se disputent.

Les deux hommes lui sourirent, chacun de son côté. La paix était faite. Au moins pour l'instant. Mais Ramon demeurait tendu, nerveux :

— Il court de drôles de bruits sur le Congrès et sur la séance de demain, Consuelo. Il paraît que cela peut se passer très mal, et que le président est en train de chercher les moyens légaux permettant de te faire soit expulser, soit même arrêter en cours de séance pour insultes à des membres du Parlement !

— S'il fait ça, Bogota entre en révolution et il déclenche un tel désordre que tout peut arriver. D'ailleurs, attends !

La jeune femme ramassa le téléphone qui traînait par terre et composa un numéro qu'elle connaissait par cœur.

— *Señor presidente*, dit-elle quand on décrocha, ici Consuelo Ayala de Villarosa.

Elle laissa passer le flot de compliments que le vieux parlementaire entreprit aussitôt de lui débiter et reprit tout de suite :

— Merci, *señor presidente*. Je vous appelais parce que de drôles de bruits me sont parvenus

aujourd'hui, concernant ma sécurité personnelle.

— Qu'est-ce que cela veut dire ? Je n'ai
jamais rien entendu de tel ! Qui vous a raconté
cela ?

— Des amis à moi. Et je serais ravie de vous
croire, monsieur le président. Je voulais simplement vous avertir que, si ces bruits étaient
fondés, ce serait stupide. Les documents que je
détiens — et soyez certain que j'en ai beaucoup
— sont en lieu sûr. Non seulement ici, en
Colombie, mais aussi à l'étranger.

— Mais...

— Excusez-moi. Je sais bien que vous n'êtes
pas au courant. Mais si par hasard quelqu'un
vous en parlait, dites-le-lui. Comme vous pourriez attirer l'attention de ce quelqu'un sur les
dangers qu'il y aurait à tenter quoi que ce soit
contre moi. Si cela était le cas, tout Bogota Sud,
ma circonscription, comme vous savez, et plus
loin encore, entre en révolution armée !

— *El angel de Bogota,* hein ?

— Je ne suis pas un ange, *señor presidente.* Je
sais mordre et je suis bien décidée à parler.

— Vous ne savez pas ce que vous faites !
Vous allez mettre ce pays à feu et à sang. Il n'a
pas besoin de ça...

— Ce sont d'autres gens qui ont commencé,
cela aussi vous le savez. Ce n'est pas moi.

Il y eut un long soupir à l'autre bout du fil,
comme si le président de l'Assemblée baissait les
bras devant l'obstination de la jeune femme.

— Je vous remercie de m'avoir appelé, *señora*
Ayala. Bien que je ne voie toujours pas à quoi
vous faites allusion, je vais me renseigner. Et si

c'est nécessaire, je ferai part de vos remarques à qui de droit.

Consuelo remercia et raccrocha avec un sourire. Ramon s'approcha d'elle, passa un bras autour de ses épaules. Elle se dégagea souplement. Gaël eut un sourire en coin. Son rival n'était pas aussi bien en cour qu'il tentait de le lui faire croire.

Ramon surprit le sourire du Français et blêmit.

— Je dois m'en aller, Consuelo ! Veillez bien sur vous, je vous en prie. Vous savez que ma vie vous appartient si vous le souhaitez. Appelez-moi !

— Merci pour votre aide, Ramon.

Elle était soudain émue par la détresse de son collègue. Elle avait été trop dure avec lui, Gaël ou pas ! Le reconduisant jusqu'à la porte, elle se serra contre lui alors qu'il allait la quitter et resta un instant dans ses bras. Ebloui, perdant soudain la tête, Ramon voulut alors l'embrasser. Elle laissa à peine la bouche du jeune homme effleurer la sienne et se détourna. Ramon n'insista pas. La porte se ferma doucement derrière lui. Consuelo revint auprès de Gaël.

— Courageuse, sainte, décidée et tout et tout, mais aussi un peu allumeuse, non ?

La plaisanterie du Français était lourde et sa voix grinçait un peu. Consuelo comprit qu'il était jaloux et qu'elle s'était conduite un peu légèrement. Mais au nom de quoi le Français se montrait-il jaloux ? De quel droit ?

— C'est un vieil ami, vous savez.

— Je vois. Moi aussi il faut que je parte, Consuelo. Mais je voudrais d'abord vous aider à ranger la maison.

— Inutile. Maria-Luisa et moi nous nous en occuperons demain matin. Pour l'instant, j'ai mieux à faire. Il faut que je travaille à mon discours.

— N'y allez pas, Consuelo ! Je vous en prie.

Gaël savait qu'il n'avait aucune chance de la convaincre. Elle n'était pas de celles qui cèdent devant la menace. Au moins pouvait-il essayer.

— Vous êtes gentil, Gaël. Mais c'est strictement mon affaire. Excusez-moi.

Le jeune homme leva la main comme pour demander pardon. Il prit ensuite celle de Consuelo dans les siennes et la baisa en parfait homme du monde, sans insister. Elle apprécia sa discrétion et constata.

— J'aime la courtoisie française, merci pour tout. Et de ne pas réclamer... autre chose !

— Vous savez bien que nous ferons « autre chose » un jour ou l'autre, Consuelo. Vous savez bien que tout nous porte l'un vers l'autre, que vous avez été attirée par moi comme je l'ai été par vous. Nous ne nous connaissons que depuis vingt-quatre heures à peine, mais vous savez, comme moi, qu'il y a un demain devant nous et que ce demain, vous le voulez autant que moi.

Il se tenait debout devant elle et parlait calmement. Elle n'avait aucun argument à lui opposer. Il avait raison. Tellement raison qu'elle lui en voulut. Il prenait sur elle un avantage qu'elle ne voulait pas lui concéder.

— Je vous trouve bien sûr de vous, Gaël. Vous n'avez aucun droit de penser que... je vous appartiens ! Je n'appartiens à personne.

— J'ai ce droit-là...

Gaël fit un pas vers la jeune femme, la prit

dans ses bras et tenta de l'embrasser. Elle le laissa faire, mais refusa de lui rendre son baiser, demeurant inerte.

Perplexe, Gaël la repoussa et la tint presque à bout de bras :

— Vous jouez, Consuelo ! Je vous croyais plus honnête. Et vous savez très bien que j'ai raison quand je dis que vous avez été attirée vers moi. Vrai ou faux ?

— Vous êtes comme tous les Français : vaniteux et trop sûr de vous.

Elle était au bord de la colère. Gaël lui paraissait soudain exagérément fat. Elle décida d'y mettre le holà :

— Vous vous racontez des histoires et vous essayez de m'en raconter. Mais elles sont fausses, vos histoires. Vous n'y croyez pas vous-même. Et si vous le faites, vous avez tort. Je ne serai pas à vous, monsieur Quennec, ni aujourd'hui, ni demain. Pour la bonne et simple raison que je ne le veux pas.

Les joues ordinairement pâles de la belle Colombienne avaient rosi. Ses seins se soulevaient au rythme de sa respiration et ses yeux étincelaient. Gaël était fasciné mais n'en laissa rien paraître.

Prenant de nouveau la main de Consuelo dans les siennes, il l'éleva jusqu'à ses lèvres et déposa de nouveau un léger baiser dessus. Ses beaux yeux bleus souriaient toujours et les dents éclataient de blancheur dans le visage aux traits réguliers.

Il ramassa son blouson sur le tapis, se dirigea vers la porte sans se retourner. « Il bluffe », pensa Consuelo. Arrivé à la porte, Gaël se retourna vers elle et lui fit un petit signe désinvolte de la main. Il tourna la poignée et disparut dans la nuit qui était maintenant tombée.

La sonnerie de la porte retentit de nouveau et le cœur de Consuelo battit précipitamment. Il revenait déjà.

C'étaient les deux occupants de l'Oldsmobile, Gaetano et Jep Francisco qui entraient en se dandinant. Ils jurèrent en voyant le désordre.

— Ce n'est rien, fit Consuelo. Mais je crois qu'il est bon que vous restiez là. Avec vous, je me sens tranquille.

Les deux hommes rougirent et se dirigèrent vers leur chambre.

— Où est votre chambre à vous ? demanda Gaetano.

— Ici. Pourquoi ?

— Il n'y a pas d'autre issue que cette porte ?

— Non.

— Alors, *señora,* si vous le voulez bien, je coucherai devant la porte.

Consuelo acquiesça, songeant qu'elle avait de la chance : la salle de bains était contiguë à sa chambre. Elle n'aurait pas aimé enjamber le corps endormi de Gaetano pour aller se maquiller.

Ramassant dans le salon dévasté la photo de Julio, elle l'épousseta machinalement et l'emmena dans le petit bureau-bibliothèque où elle travaillait. Indifférente au désordre de ses papiers éparpillés sur le tapis, elle s'installa devant sa table et tenta de se concentrer sur le discours qu'elle devait prononcer dans quelques heures.

Mais son esprit eut de la peine à se fixer sur les phrases qu'elle lisait. Elle pensait à Gaël et se demandait ce que signifiait le sourire qu'il avait eu en la quittant et ce baisemain désinvolte. Elle s'était trompée : le Français ne valait pas mieux que les autres et il n'avait, lui aussi, qu'une idée en tête.

Consuelo savait pourtant, tout au fond de son cœur, que ce n'était pas un flirt comme les autres. Il s'était passé quelque chose entre cet homme et elle. Un certain frisson le long de sa joue, quand il l'avait prise dans ses bras, une envie folle de se blottir contre lui et de lui donner ses lèvres...

Et aussi une bouffée de désir brutal qui l'avait envahie : Gaël avait certes su plaire à son cœur, mais il l'avait troublée jusqu'au plus profond d'elle-même.

Consuelo-la-sage était en train de devenir Consuelo-qui-perd-la-tête. Elle soupira et se remit à sa tâche.

Demain serait une rude journée. Elle aurait à affronter des adversaires qui en voulaient peut-être à sa vie. Gaël avait dit qu'il l'aiderait.

Mais ne l'avait-elle pas perdu, aujourd'hui, pour toujours ?

6

Quand Consuelo pénétra dans les travées de l'Assemblée, nombre de députés tournèrent la tête vers elle et des exclamations fusèrent sur tous les bancs. Elle rejoignit sa place parmi les députés non inscrits — c'est-à-dire n'appartenant à aucun parti.

Ramon était là, qui lui jeta un regard douloureux mais ne fit pas un mouvement vers elle. Elle découvrit au pied de la tribune un nouvel huissier à l'air tendu qu'elle ne reconnut pas, tout d'abord : Jaime ! Par quel tour de passe-passe était-il parvenu à se faire embaucher à ce poste ?

— Consuelo, je t'apporte le soutien de dix députés et peut-être plus si tu le souhaites.

L'homme qui se penchait vers elle était un député de Carthagène, Alfonso Vichada de Saltillo. Il était séduisant, très riche, et passait auprès de ses pairs pour un défenseur de causes perdues. N'était-il pas avocat de son métier ?

Il avait maintes fois tenté de conquérir Consuelo mais la jeune femme était toujours restée sourde à ses avances. Elle lui tendit pourtant la main et il s'inclina sur elle.

— Je suis de ton côté, Ayala. Je voudrais

t'aider. Sauf si tu as l'intention de parler de l'immobilier dans le nord du pays !

— Non. J'ai mieux à dire.

— Je mets pourtant une condition à mon offre : tu dînes avec moi ce soir. Je connais un nouveau restaurant dans la Candeleria ! Formidable.

— C'est du chantage ! Mais pourquoi pas ?

Si Gaël avait l'intention de la revoir ce soir, il trouverait porte close. Bonne opération tactique.

— Dix voix contre un dîner. A tout à l'heure !

Alfonso escomptait certainement plus qu'un dîner, ils le savaient l'un et l'autre. Mais Consuelo se sentait de taille à le tenir à distance.

La séance commença par quelques questions de procédure à l'ordre du jour : une rallonge au budget de la Santé et de nouveaux crédits pour renforcer la police. Elle en avait bien besoin, mais ce n'était pas la police seule qu'il fallait réformer, c'était tout le pays !

Consuelo attendait son tour en regardant attentivement les hommes et les quelques femmes qui siégeaient sur les bancs du Parlement. Personne ne faisait plus attention à elle. Montello, le représentant des *cafeteros,* lisait nonchalamment son journal.

Le débat ronronnait et s'interrompit rapidement.

— A l'ordre du jour, enchaîna le président, une communication de Mme le député de Bogota, la *señora* Ayala de Villarosa.

Les journaux se replièrent, les têtes se relevèrent. Des lazzis s'élevèrent tandis que Consuelo descendait de sa travée pour se diriger vers la tribune des orateurs qu'elle escalada d'un pas ferme. Elle se sentait sûre d'elle et déterminée.

Le silence s'établit aussitôt, miraculeusement. Trop de battage avait été fait depuis la dernière intervention de la jeune femme pour que les députés demeurent indifférents à son intervention. Elle attaqua tout de suite :

— J'ai été l'objet, pendant le week-end, d'une agression menée par quatre hommes de main, dans un restaurant. Puis mon appartement a été visité de fond en comble par des gens qui ne cherchaient pas d'argent mais des documents. Des documents, j'en ai, mais il est inutile de les chercher. Ils sont à l'abri. Inaccessibles.

Consuelo laissa passer un silence que personne ne rompit. Les députés attendaient la suite. La jeune femme chercha Gaël dans la tribune du public. Il n'y était pas. Elle s'étonna de ressentir un léger pincement au cœur. Ce n'était pas le moment !

Posant calmement les feuillets de son discours devant elle, elle entreprit de le lire, bien qu'elle en connût chaque mot par cœur, ou presque.

— J'irai jusqu'au bout de ce que j'ai à dire. Si vous comptez m'en empêcher, par un moyen ou un autre, sachez que j'ai prévu plusieurs recours. Je souhaite néanmoins que ce débat reste démocratique et que l'Assemblée souveraine examine ce que j'ai à signaler.

— *Bueno, bueno,* entendit-elle sur plusieurs bancs.

— Il y avait une fois, reprit alors Consuelo, un groupe d'hommes qui décida de faire travailler les autres à son profit et se mit en tête de faire aussi travailler l'Etat à son profit. Ce groupe obtint très vite ce qu'il cherchait : beaucoup d'argent. Mais tout un réseau se mettait en place parallèlement car, plus le groupe grandissait, plus il avait besoin de complicités et d'appuis à tous les niveaux, jusques et y compris au sein du gouvernement...

Un silence de mort s'était abattu parmi les députés. Fascinés par les propos de la jeune femme, ses opposants les plus farouches se taisaient. Consuelo vit au premier rang Rafaël Montello, plus lourd que jamais, les coudes sur sa table, qui la fixait sans la voir.

Au banc du gouvernement, Alberto Rodriguez de Canama, le ministre de l'Intérieur, semblait tendu comme un arc. Derrière l'oratrice, le président de l'Assemblée affectait le visage serein qui seyait à sa fonction. Personne ne souriait, mais nulle interruption ne se produisit.

La voix de Consuelo prenait de l'assurance. Elle connaissait presque son texte par cœur, tant elle l'avait relu et corrigé.

— Je vais maintenant, reprit-elle dans le silence, vous raconter l'édifiante histoire d'une grande compagnie d'export-import de Baranquilla (1) dont les actionnaires sont deux ministres en exercice et deux ministres anciennement en exercice : je veux parler de la Sud-Américaine de Navigation.

— Mais faites-la donc taire ! hurla une voix dans l'hémicycle.

L'hystérie du ton provoqua quelques rires. Mais la pause fut de courte durée et Consuelo reprit son exposé.

Quand elle eut terminé, une chape de plomb

(1) La deuxième ville de Colombie.

sembla s'être abattue sur l'Assemblée. Quelques bravos éclatèrent néanmoins, clairsemés, qui se turent rapidement, comme s'ils se trouvaient eux-mêmes inconvenants.

Et puis le chahut se déchaîna alors que Consuelo descendait de la tribune. Des hommes aux visages congestionnés se précipitèrent vers elle. D'autres la prirent par le bras, essayant de la tirer vers eux.

Miraculeusement surgis du néant, Jaime en huissier, et ses trois compères, revêtus du même uniforme, firent un barrage de leurs corps autour de Consuelo. Ils s'efforçaient calmement de repousser les assaillants mais Jep Francisco dut en écarter un violemment.

L'homme, un représentant du département de Guainia, se précipita à la tribune et demanda la parole. Débordé, le président la lui accorda :

— Il y a ici, dans l'hémicycle, des hommes de main qui n'ont rien à y faire ! hurla le député. Des brutes appointées par la députée de Bogota, des hommes sans foi ni loi, des assassins !

Et il montrait Jaime et Armando, qui continuaient de repousser les assaillants.

Jaime entendit et se tourna vers le président :

— *Señor présidente,* nous sommes régulièrement inscrits à la questure de l'Assemblée comme huissiers. Nous ne sommes que des remplaçants, c'est vrai, mais nous espérons bien être, un jour, titularisés.

Ramon de Capamarcos avait bien fait les choses. Il pensait à tout. Consuelo regretta d'avoir été si sèche avec lui l'autre jour.

Elle remonta à sa place et chercha de nouveau Gaël dans les tribunes du public. Il n'y était toujours pas. Sa déception la surprit, mais, haussant les épaules, elle se dit qu'il valait mieux en prendre son parti. Elle risquait de ne jamais revoir l'envoyé de l'UNESCO...

— Des noms ! Des preuves ! Des noms ! Des preuves !

Les députés scandaient ces mots sur l'air des lampions. Le président se tourna vers Consuelo, entourée maintenant d'un petit groupe d'amis qui lui parlaient à voix basse.

— Est-ce que madame le député de Bogota est en mesure d'apporter les preuves de ce qu'elle avance ?

La voix était ironique et prudente, comme si elle ne pouvait pas admettre que sa question trouvât réponse.

Consuelo se leva et, de son banc, lança :

— Je n'ai ici qu'un seul document relatif à la compagnie de Baranquilla dont j'ai parlé tout à l'heure. Le voici, monsieur le président. Il va de soi que j'en ai bien d'autres exemplaires et que je les tiens à la disposition des honorables parlementaires qui souhaiteraient les consulter.

Un huissier vint vers elle et prit l'enveloppe que lui tendait la jeune femme. Il la porta à la présidence comme s'il transportait le Saint Sacrement.

— Monsieur le président !

Consuelo interpellait une dernière fois l'homme qui tenait maintenant entre ses mains le document :

— Il ne s'agit bien sûr que d'une photocopie. Comme il se doit j'en détiens les originaux. Tout est entre les mains de qui de droit, et, au cas où il m'arriverait quelque chose, les documents en question seraient publiés aussitôt.

— Quel journal oserait publier des infamies

pareilles ? interrompit brutalement un député libéral que Consuelo ne connaissait presque pas.

— Aucun journal colombien, c'est vraisemblable. Mais il y a une presse étrangère tout à fait libre. Et toute publication ne se fait pas forcément par voie de presse !

Un énorme brouhaha éclata, tandis que le président jetait un coup d'œil sur les documents qu'il détenait.

— La séance est suspendue, proclama-t-il aussitôt.

Les quatre gardes du corps se rapprochèrent de Consuelo. Mais personne ne vint vers elle et elle eut soudain l'impression d'être mise en quarantaine. Une seule personne s'approcha, un sourire forcé sur les lèvres : Ramon.

— Mes compliments ! Te voilà célèbre, tu peux être tranquille ! Même si tu as les preuves de ce que tu avances, c'est un peu comme si tu signais ta condamnation à mort. Décidément, tu es folle, complètement folle, on ne te le dira jamais assez !

— La vérité est toujours folle, Ramon.

— Aussi, ne faut-il jamais la dire !

— Plutôt que de me sermonner, invite-moi à déjeuner, veux-tu ?

— Avec joie. J'étais même venu pour te le proposer. Mais il sera dit que tu me prendras toujours de vitesse.

Il rougit légèrement et Consuelo devina qu'il faisait allusion au baiser qu'elle lui avait donné la veille, alors qu'il partait de chez elle. Ce baiser lui coûtait cher : Gaël lui en voulait terriblement, c'était désormais clair dans son esprit.

— A quoi penses-tu ?

— A rien.

La jeune femme ne pouvait pas lui avouer qu'elle pensait aux mains de Gaël sur les siennes, à la force tranquille qui émanait du grand garçon brun aux yeux bleus, à une certaine ironie de la voix tendre. Le Français lui manquait. Elle soupira :

— Allons déjeuner.

Ramon fit un signe aux quatre hommes et ils se divisèrent : Armando et Jaime passèrent devant. Gaetano et Jep Francisco les suivirent.

La place Bolivar connaissait son animation coutumière. Les vieux bus rouge et blanc, les taxis vert et crème, les grosses voitures américaines contournaient la place dans une cacophonie infernale. Il faisait chaud.

Ramon héla un taxi et jeta l'adresse d'un célèbre restaurant au coin de la place Santander. La Buick jaune et l'Oldsmobile suivaient, comme par miracle.

— Je suis mieux gardée que le président de la République, plaisanta Consuelo en désignant du doigt les soldats aux uniformes désuets, brandebourgs et casques à pointe, qui montaient pieusement la garde devant la présidence.

— Le président ne met pas en cause les plus gros intérêts du pays et ne scie pas la branche sur laquelle il est assis.

— Personne ne me fera rien.

— Et le cambriolage chez toi ?

— J'oubliais. Ce n'est peut-être qu'un hasard...

Ils arrivaient devant le restaurant, une de ces vieilles demeures dont Bogota a le secret, jadis repaire de quelque famille patricienne, aujourd'hui transformée en restaurant. Sous les arbres

74

de la place et près des jets d'eau, les marchands embulants proposaient des nappes de dentelle aux touristes.

Non loin de là, comme pour affirmer le côté moderne de la ville face aux tentations passéistes, l'immeuble d'Avianca dressait ses lignes élancées.

Quand Ramon voulut payer, le chauffeur de taxi refusa ses *pesos* et tourna vers eux son visage buriné :

— C'est un honneur pour moi de transporter la *señora* Ayala. Faites-moi la grâce d'accepter cette course en hommage à son courage et à sa beauté. Tous les pauvres de Bogota sont vos obligés, *señora*.

Consuelo remercia, émue, et pensa au sergent Guttierez. « Comptez sur moi », lui avait-il dit chez Angelina. Elle se sentit sûre d'elle et bien moins seule.

Ramon la précéda à l'intérieur du restaurant. Il y était connu et le maître d'hôtel lui avait réservé la meilleure table. Le jeune député se comportait avec une assurance nouvelle vis-à-vis de Consuelo, comme un homme qui aime et se sent aimé.

Il faut le détromper, se dit-elle ; elle n'en eut pas le courage immédiat. Plus tard. Rien ne pressait.

Elle dégusta l'un de ces merveilleux cocktails de fruits, spécialité colombienne par excellence, et se laissa aller sur sa chaise pour la première fois de la matinée. Elle était fatiguée, vidée. La séance à la Chambre avait été dure et elle avait jeté toutes ses forces dans la bataille.

— Tu as été formidable, tu sais ! s'écria Ramon.

— Merci. Mais je n'en peux plus.

Un couple américain que Ramon et Consuelo connaissaient fit son entrée dans la grande salle blanche, aux nappes blanches aussi, à l'argenterie étincelante. Bill Evans et Mary Rafferty travaillaient tous les deux à l'ambassade américaine. Ils se précipitèrent vers Consuelo, l'embrassèrent, la félicitèrent.

— Asseyez-vous avec nous, proposa Ramon. Il n'y a plus de table libre.

L'endroit était à la mode et le Tout-Bogota s'y bousculait. Les deux Américains se firent à peine prier.

Ils attaquèrent ensemble un somptueux *chile con carne* (1) et burent un vin californien que Bill tenait absolument à leur faire découvrir.

— Tiens, s'exclama soudain Mary, voici la belle Peggy Henning ! On dirait qu'elle a trouvé un nouveau chevalier servant. Pas mal, ma foi !

Consuelo tourna machinalement la tête et se mordit les lèvres pour taire une exclamation.

Lui tournant le dos, Gaël Quennec, vêtu d'un costume bleu extrêmement élégant, se penchait vers une jeune femme blonde aux yeux verts. Il avança sa chaise et elle le remercia d'un sourire éblouissant. Gaël ne les avait pas vus ; sa compagne non plus.

— Qui est ce *gringo*? demanda Mary Rafferty. Il est bien séduisant. C'est la première fois que je le vois à Bogota. Ramon, dis-moi : qui est-ce ?

— Un Français. Je le connais vaguement.

(1) Plat à base de haricots rouges, très prisé en Colombie.

Embarrassé, le jeune Colombien regarda discrètement Consuelo.

— Moi, je le connais, dit celle-ci d'une voix dégagée. Il n'y a effectivement pas longtemps qu'il est à Bogota. Il fait partie d'une mission de l'ONU, ou de l'UNESCO, qui veut organiser une exposition précolombienne à travers le monde, ou je ne sais plus quoi du même genre.

— Tu me le présenteras ?

Mary affectait un ton léger pour taquiner Consuelo. Elle avait remarqué le trouble de son amie et cherchait à en savoir davantage, en jetant de l'huile sur le feu s'il le fallait.

— Si tu veux, je te le présenterai. Tout à l'heure. Pour l'instant, Bill, donnez-moi encore un peu de ce vin californien, s'il vous plaît. Il est délicieux. Vive l'Amérique !

Elle se tourna vers Ramon :

— Emmène-moi en Amérique, Ramon. J'aimerais vraiment aller à New York et en Californie.

Stupéfait, le jeune homme manqua s'étrangler en avalant sa bouchée de chile. Il but hâtivement une gorgée de vin. Bill et Mary riaient.

— Quand tu veux, *querida*.

— La semaine prochaine.

Ramon se rendit compte qu'elle parlait sérieusement. Trop fin pour ne pas comprendre ses raisons, mais aussi trop épris pour ne pas s'y rendre, il se fit néanmoins l'avocat du diable :

— Ne te presse pas. Tu as le temps. Attendons le printemps.

— Tu ne veux pas ?

— Si, Consuelo, si, mon amour. Je voudrai tout ce que tu voudras. Partons demain, si tu veux.

Il jeta malgré lui un bref coup d'œil au large dos de Gaël qui, les coudes sur la table et le menton bien calé dans ses mains, écoutaient attentivement Peggy Henning.

Un lourd silence s'installa parmi les quatre convives, étrangement muets au milieu du brouhaha qui régnait dans le restaurant.

Un petit marchand de journaux entra en proposant les premières éditions des quotidiens du soir. Consuelo sursauta. Sa photo s'étalait sur toute la première page de l'un d'eux et un énorme titre barrait ses huit colonnes : « Halte à la corruption ! »

« Consuelo Ayala de Villarosa, la jeune et belle députée de Bogota Sud, part en guerre contre les gangs, précisait le sous-titre. Elle accuse publiquement le ministre de l'Intérieur et plusieurs personnalités de Baranquilla. L'ange de Bogota fait d'étranges révélations... »

Les journaux s'arrachèrent et, quand le gamin repartit en courant, chaque table avait le sien.

A cet instant, Gaël se retourna. Il fit un petit signe à Consuelo. Il l'avait vue ! Sans doute savait-il, depuis un moment, qu'elle était là.

— Imbéciles ! gronda la jeune femme.

— Qui ça ?

— Les journalistes ! Pour faire du sensationnel, ils écriraient n'importe quoi...

— C'est faux ? interrogea placidement Bill Evans.

— En vérité, non.

— Alors, ces journalistes ne sont pas des imbéciles...

Ramon réglait l'addition. Armando et Jaime apparurent comme par miracle. Une rumeur s'enflait dans la rue, lourde, insistante. Une foule scandait quelque chose. Un concert d'avertisseurs s'éleva : la place Santander et la septième avenue étaient bloquées.

A l'autre table, Gaël aussi s'était levé, écartait la table pour permettre à Peggy de se dégager sans encombre. Il fit de nouveau signe à Consuelo et s'avança vers la sortie aux côtés de la belle Américaine dont il tenait négligemment le coude.

Consuelo se sentit vieille, laide et, surtout, épouvantablement triste. Un coup d'œil dans le grand miroir qui occupait tout un panneau de la salle ne suffit pas à la rassurer. Elle était pourtant superbe dans sa robe rouge, et ses cheveux tirés en un sage chignon mettaient en valeur la grâce sensuelle du visage à peine maquillé.

— Ramon, pour l'Amérique, je parlais sérieusement.

Elle prit le bras du jeune homme et s'appuya ostensiblement contre lui. Gaël et Peggy venaient de sortir, laissant la porte ouverte derrière eux.

— Consuelo ! Consuelo ! Consuelo !...

De la rue la rumeur montait, s'enflait, emplissant les murs du vieux restaurant. Consuelo recula, presque terrifiée, puis fit deux pas vers la sortie, davantage poussée par la curiosité que par la vanité.

Mille personnes au moins scandaient son nom dans la rue. Le carrefour de la septième avenue et de l'avenue Jimenez de Quesada, le centre vital de Bogota, était complètement bloqué.

Agitant les journaux du soir, la foule scandait le nom de la jeune femme sur l'air des lampions : une foule de pauvres, cireurs de chaussures en guenilles, leur boîte pendant au côté, *gamines* effrontés qui profitaient de l'occasion pour voler quelques portefeuilles, chauffeurs de taxi en goguette, *esmeraldos, guaperos...*

Un car de police arriva. Des hommes en vert en descendirent et commencèrent à disperser la foule à coups de bâton, sans ménagements.

Consuelo jaillit du restaurant, abandonnant Ramon, et se précipita sur le chef des policiers :

— Laissez-les ! Ce sont mes amis. Ils ne font pas de mal.

— Ils troublent l'ordre public, *señora.* J'ai des consignes. De plus, je n'ai pas d'ordres à recevoir d'une femme !

— Vous connaissez le sergent Guttierez ?

Le policier sembla surpris :

— Lequel ? Celui du dix-neuvième arrondissement de police ?

— Je ne sais pas. Il a une grande moustache, des yeux bleus...

— C'est mon frère.

— Si c'est votre frère, ne lui dites jamais que vous avez refusé de m'écouter. Car c'est mon ami.

En un clin d'œil, les policiers regagnèrent leur car. La foule ne comprit pas et les hua copieusement.

— Même si vous m'avez menti, *señora,* jamais mensonge n'aura été dit par une aussi jolie bouche.

Consuelo l'écoutait à peine. Elle sourit machinalement à ses admirateurs qui criaient *venceremos* (nous vaincrons) et cherchait dans la masse mouvante qui commençait à se disperser une grande silhouette mince vêtue de bleu. Mais

Gaël avait disparu, indifférent à tout sauf, sans doute, à la belle Peggy.

Consuelo se sentit étrangement seule. Elle décida de quitter Bogota. L'Amérique était bien loin. Elle ne pouvait pas abandonner Paco comme cela. Et elle avait encore à faire à l'Assemblée.

Elle serra les poings et sourit à pleines dents à ses supporters. Elle se battrait pour eux, puisque la bataille qu'elle avait cru mener pour son bonheur, elle l'avait perdue.

7

— Que veux-tu faire maintenant ? interrogea Ramon. Est-ce que je peux t'aider à quelque chose ?

Consuelo hésita, se décida rapidement. Cette force extraordinaire que représentait l'élan populaire, il ne fallait pas la laisser perdre. Elle pouvait être sa sauvegarde. Consuelo n'avait jamais voulu s'inscrire à un parti politique et ne représentait que ses électeurs à l'Assemblée. Mais ceux-ci venaient de lui prouver qu'elle comptait pour eux. Et il fallait leur montrer qu'ils comptaient pour elle.

— Laisse-moi au *Hilton,* si tu veux bien. J'ai abandonné ma voiture devant le parking. J'en ai besoin.

Il lui sembla que l'expédition à Villa de Leyva datait de bien longtemps et que la présence de Gaël l'envahissait encore. C'était hier. C'était un siècle auparavant...

Ramon la reconduisit sans un mot jusqu'au *Hilton.* Il tenta de l'embrasser quand ils furent arrivés mais Consuelo se contenta de lui tendre une joue amicale et il en fut pour ses frais.

La circulation était toujours aussi dense sur les sixième et septième avenues. Au carrefour de la huitième avenue, elle voulut prendre à gauche. L'immense artère bordée d'arbres était, elle aussi, terriblement encombrée.

Un coup d'œil dans son rétroviseur lui apprit que la Buick jaune était toujours là. Jaime veillait.

Passées la sixième rue et l'église San Agustin, tout près de chez elle, elle continua droit vers le sud. Les quartiers devenaient plus pauvres. La spéculation foncière avait gagné sur les terrains agricoles et d'immenses terrains vagues abritaient des milliers et des milliers d'hommes et de femmes chassés des plaines par la pauvreté et la corruption des possédants.

C'était le quartier des gens misérables, des *gamines* constitués en bande, célèbres dans le monde entier ; on y tuait pour un rien, on y volait sans cesse — quand il y avait quelque chose à voler — et des familles entières vivaient de quelques *pesos* par semaine.

Julio avait été le député de ce quartier ; le bourgeois cossu s'était fait élire par les plus pauvres du pays. A sa mort, Consuelo avait à son tour brigué un mandat de député. Malgré les railleries et les ricanements, elle avait été élue et ses adversaires avaient vite déchanté : la jeune femme remplissait sa tâche avec conscience et elle était parvenue à obtenir quelques améliorations. Peu de choses : mais peu, c'était déjà beaucoup pour ses électeurs !

Toujours suivie de la Buick, elle s'enfonça dans une rue sordide, se perdit un peu, finit par garer la Fiat devant un café et entra.

Cristofo Sanchez apparut rapidement quand on lui dit qu'une « belle dame » le demandait. Il fit entrer sa visiteuse dans l'arrière-salle du café.

— Tu as besoin de quelque chose, Consuelo de Villarosa ?

— Oui. De sécurité. Et de renseignements.

Cristofo alluma un horrible cigare court et fit apporter deux *tintos*.

— On parle beaucoup de toi en ce moment. Qu'est-ce que tu veux savoir ?

Consuelo parla longuement et son interlocuteur l'écouta en hochant parfois la tête.

Quand elle se tut, il la contempla, le visage grave :

— Tu te rends compte de ce que tu me demandes ? C'est ta vie et la mienne que tu joues là.

— Je sais. Mais il faut que je le fasse.

— Ton mari aurait aimé ça, ma belle. A propos, tu penses encore à lui ?

Un jour, Julio avait sauvé la vie de Sanchez, qui allait mourir brûlé vif dans sa voiture. Le gros homme, qui trempait dans beaucoup des affaires louches de Bogota, ne l'avait jamais oublié et vouait au jeune aristocrate une amitié sans faille, qu'il avait ensuite reportée sur Consuelo.

— Pourquoi me parles-tu de Julio ?

— On m'a dit qu'on te voyait souvent avec un *gringo*. C'est ton droit, remarque...

— Ma vie ne regarde que moi, Cristofo.

— C'est vrai. Maintenant, laisse-moi, j'ai à faire. A propos, si tu peux obtenir du travail à Pablito, il te serait reconnaissant.

— J'essaierai.

Elle visita nombre de maisons dans le quartier, attentive à tous, généreuse, promettant une aide ici, conseillant là, recevant les doléances des habitants. Elles étaient si nombreuses qu'un lourd carnet n'aurait pas suffi à les enregistrer toutes.

Quand elle rentra chez elle, fourbue, Jaime la précéda et c'est lui qui ouvrit la porte.

— Par précaution, expliqua-t-il. C'est vite piégé, une serrure.

Consuelo frissonna. Elle avait peur. Elle souhaita brusquement que Gaël fût là. Elle chercha un mot de lui, une enveloppe, un signe. Le Français lui manquait et elle s'étonna de ressentir si vivement son absence : elle le connaissait si peu.

Puis elle haussa les épaules : il avait apparemment choisi la belle Américaine. « Grand bien lui fasse », maugréa-t-elle.

Le téléphone sonna et Consuelo s'empara de l'appareil vers lequel Jaime tendait déjà une main serviable.

C'était Maria-Pilar, une de ses amies, qui habitait Carthagène. Maria-Pilar ne souhaitait que bavarder avec son amie. Elles échangèrent quelques propos insignifiants lorsque Consuelo lança :

— Et si je venais passer quelques jours avec toi ?

A l'autre bout du fil, il y eut une exclamation de joie :

— Tu arrives demain ?

— D'accord, demain. Il y a un vol d'Avianca qui part de Bogota à 11 heures. Je serai là pour le déjeuner.

Consuelo raccrocha et se frotta lentement les mains. Un séjour au bord de la mer lui ferait du bien. Et elle aimait Carthagène, la belle ville d'où partaient naguère les galions espagnols emportant l'or de l'Amérique vers la cour d'Espagne.

Gaetano et Jep Francisco n'étaient pas encore là. Jaime et Armando étaient dehors. Les quatre hommes étaient certes rassurants, mais ils ne la quittaient pas d'une semelle.

Quand on sonna à la porte, elle crut que c'étaient eux. Elle ouvrit. Gaël s'encadra dans la porte.

Vêtu d'un costume léger et d'une chemise sans cravate, il semblait détendu, heureux. Un éclair passa dans les yeux de Consuelo, qu'il perçut :

— Pardonnez-moi, je crois que je vous dérange...

L'éclair avait disparu et les yeux de la jeune femme disaient, malgré elle, le plaisir qu'elle ressentait à sa visite. Cela aussi il le vit et tendit les bras vers elle.

Consuelo recula de quelques pas. Il la suivit aussitôt.

— Je croyais que c'étaient mes gardes du corps qui arrivaient.

— Je le serais volontiers.

La jeune femme apporta un plateau sur lequel elle avait posé des jus de fruits et du whisky. Elle le servit et il leva son verre vers elle :

— A nos amours !

Consuelo avala de travers et manqua s'étrangler :

— Décidément, vous êtes vaniteux et stupide.

— Tout cela est vrai, reconnut-il placidement. Complètement vrai ! Vaniteux et stupide ! Mais je bois quand même à nos amours.

— Moi, non !

87

Une envie folle la submergea de se trouver dans les bras de l'homme qui lui faisait face. Elle baissa la tête pour masquer son trouble.

Quand elle leva les yeux, il était devant elle et lui souriait. L'aidant à quitter le fauteuil où elle s'était assise, il l'attira et la garda contre lui.

Consuelo résista à peine avant de s'abandonner. Quand Gaël l'embrassa, elle lui rendit son baiser avec fougue, oublieuse de ses bonnes résolutions, sensible, seulement, à ces lèvres dures qui écrasaient les siennes et au feu qui soudain, coulait dans ses veines.

Les mains de Gaël quittèrent ses épaules, descendirent lentement sur les belles hanches rondes, s'y arrêtèrent. Consuelo crispa d'abord ses ongles sur la nuque du jeune homme. Puis, dans un effort surhumain, s'arracha à l'étreinte qui la brûlait. Elle s'écarta et secoua la tête :

— Vous êtes vraiment fou, Gaël, ça c'est vrai.

— *Cada loco con su tema* (1) !

La jeune fille éclata de rire :

— C'est une locution rare. Où l'avez-vous apprise ?

— Sans importance... Ne détournez pas la conversation.

— Vous appelez ça une conversation, vous ?

Décontenancé, Gaël fronça les sourcils. Consuelo plaisantait pour faire diversion à son trouble, il le sentait. Il ne voulut pourtant pas en rester là, tenta de la ramener à lui. Elle lut dans ses yeux un désir d'homme, impérieux, brutal, mais aussi — et cela la toucha encore plus — une lueur mi-ironique, mi-conquérante. Se moquait-

(1) A chacun son idée fixe !

il d'elle ? Ne serait-elle donc qu'une conquête parmi d'autres ?

Trop troublée pour analyser ses sentiments, irritée, frustrée, Consuelo se détourna et rompit le charme. Elle se dirigea vers le miroir, remit en place ses cheveux ébouriffés par l'étreinte de Gaël.

Celui-ci s'approcha et ses bras se refermèrent à nouveau autour d'elle. Joue contre joue, ils contemplèrent leur double reflet. Ils étaient jeunes et beaux.

— N'est-ce pas que nous formons un beau couple ?

Consuelo rompit une nouvelle fois le charme de l'instant.

— Nous ne faisons pas un couple, monsieur Quennec. Libre à vous de faire un couple, comme vous dites, avec qui vous voulez, mais ne me faites pas entrer dans vos petits jeux idiots. Je ne suis pas une Américaine facile.

Ces mots à peine prononcés, elle les regretta. Elle n'avait pas à dire ça, pas plus qu'à faire une scène déplacée, elle le sentait.

— Les Américaines ne sont pas « faciles », comme vous dites. Je crois pour ma part que les Colombiennes, si elles ont beaucoup de qualités, peuvent être, aussi, complètement idiotes.

— Oh !

Consuelo savait qu'elle n'avait pas volé cette réplique, mais son tempérament violent, une fois de plus, l'emportait sur sa raison. Sa main partit vers la joue du Français. Des doigts d'acier l'arrêtèrent et son geste resta en suspens.

— Lâchez-moi. Vous me faites mal !

— Je ne vous lâcherai que contre un baiser.

— Jamais. C'est un chantage honteux.

Au mot de « chantage », le visage de Gaël devint grave. Sa main s'ouvrit, abandonnant celle de Consuelo qui retomba, inerte, le long de sa hanche.

— Pardonnez-moi. Je n'étais venu ni vous violer ni vous faire une scène. Mais vous avertir.

— De quoi ?

— J'étais tout à l'heure à la présidence, pour une affaire de signature indispensable. Dans un salon à côté, deux hommes parlaient. Ils n'ont pas fait attention à moi, je ne suis qu'un *gringo*. Et tout le monde sait bien que les *gringos* ne parlent pas l'espagnol...

— Qui était-ce ?

Gaël s'efforça de les décrire. Ils ressemblaient à des milliers d'autres Colombiens et Consuelo, à travers le récit de son compagnon, ne put les identifier.

— Ils parlaient de votre discours. Le plus jeune des deux a dit : il va bien falloir lui donner une leçon et la faire parler, qu'elle le veuille ou pas. L'autre a acquiescé. Consuelo, vous êtes en danger. Sérieusement. Je vous en prie, écoutez-moi.

Pour toute réponse, la jeune femme ouvrit la porte qui donnait sur le jardin. Immobile au volant de la Buick, Armando surveillait la maison placidement. Jaime surgit de derrière un buisson. Un pistolet à sa ceinture.

— *Que tal, señor frances* (1) ?

— *Muy bien.*

— Vous voyez, fit Consuelo en refermant la porte, je ne risque rien.

— Je le sais, mais laissez-moi dormir ici. Pas

(1) Comment ça va, monsieur le Français ?

dans votre chambre, rassurez-vous ! N'importe où. J'ai confiance en ces messieurs. Mais je serai plus tranquille.

— Armando dort devant ma porte. Que voulez-vous de plus ?

Devant le désarroi de Gaël, qu'elle devinait profondément sincère, Consuelo s'entendit ajouter :

— Je pars demain pour Carthagène. Venez avec moi, si le cœur vous en dit.

— Soit. A quelle heure ?

Il réagissait avec calme et satisfaction. Mais Consuelo, au même instant, se souvint qu'elle avait demandé à Ramon de l'emmener en Amérique. Elle eût mieux fait de ne rien dire à Gaël !

Elle sut pourtant, de toutes ses forces, de tout son cœur, de tout son corps aussi, qu'un élan brutal jetait vers cet homme, qu'elle mentirait à Ramon et irait à Carthagène en compagnie de Gaël. Comme elle sut qu'elle serait à lui, à plus ou moins longue échéance. C'était écrit et elle irait jusqu'au bout de son destin.

Les mains nouées dans le dos, Consuelo regarda Gaël tranquillement. Elle avait pris son parti de ce qui lui arrivait. Et cela se voyait.

Gaël murmura :

— Vous êtes belle ! Vous êtes formidable ! Je vais vous dire quelque chose que je n'ai encore jamais dit à aucune femme : je vous admire. Vous n'êtes pas obligée de me croire, mais c'est comme ça !

Alors elle s'approcha, posa sa tête sur l'épaule de Gaël, humant lentement les effluves de son eau de toilette. Puis, le cœur battant à tout rompre, Consuelo offrit ses lèvres. Il l'embrassa tendrement, lentement, avec une douceur indicible.

Dénudant une épaule, il y posa de légers baisers. Consuelo frémit :

— Gaël, ô Gaël...

Une série de détonations retentit soudain dans la rue et les deux jeunes gens entendirent distinctement l'impact des balles s'écrasant sur la façade de la maison. La verrière de la cuisine vola en éclats. Il y eut un cri, un rugissement de moteur, une rafale encore, l'aboiement d'un chien et, tout aussi brutalement, le silence revint.

Consuelo se précipita vers la porte, pensant aux gardes du corps. Gaël la retint :

— N'ouvrez pas, attendez !

— *Señora ! Señora Ayala ! Se acabo ! Todo esta bien !*

Jaime appelait et Consuelo, cette fois, ouvrit sa porte. La Buick était percée de petits trous.

— Armando ! s'exclama la jeune femme.

Le *pistolero,* hilare, apparut aussitôt.

— J'étais sorti me dégourdir un peu les jambes, *señora.*

— Et vous, Jaime ?

— Tout va bien. Ils ne voulaient pas tuer. Ou alors ils manquaient de sang-froid. Des amateurs, peut-être. C'était un avertissement, *señora.* Il faut croire que tout le monde n'aime pas vos discours, voilà... Pourtant vous parlez bien...

Armando et lui éclatèrent de rire. Consuelo prit la main de Gaël et la serra dans la sienne. Elle luttait pour maîtriser le tremblement qui la gagnait. Et si Paco avait été là !

Une voiture verte de la police s'arrêta, sa

radio crachant sans cesse des ordres et des explications dans un grésillement insupportable. Trois hommes en descendirent.

— Que s'est-il passé ? interrogea leur chef.

— Je ne sais pas. C'est certainement une erreur, dit Consuelo.

Le policier contempla le visage de Jaime et d'Armando, fit quelques pas dans le jardin, examina le mur de façade :

— Il y a des blessés ?

— Non, aucun.

— C'est une erreur, hein ?

— Oui, certainement.

— C'est vous, la *señora* de Villarosa ?

— C'est moi.

— Alors, *señora,* prenez bien garde à vous. A la prochaine « erreur » de ce genre, vous risquez fort de sortir de ce jardin sur une civière et de ne jamais y revenir. Je suis un peu brutal, mais ce pays est devenu tellement inhumain que j'ai l'impression d'avoir dit ça avec gentillesse. *Buenas noches, señora !*

La Jeep verte démarra. Consuelo rentra dans la maison, suivie des deux gardes du corps et de Gaël. Elle alla droit au coffre-fort, l'ouvrit, en sortit un document et le tendit à Jaime. Une lueur froide brillait dans ses yeux noirs. Elle ordonna :

— Porte ça demain matin à José Velasquez de Celaya.

— Le journaliste ?

— Oui. Il le publiera. Et on verra bien si on ose encore tirer sur ma façade.

Jaime et Armando quittèrent le salon.

— Qu'est-ce que c'est ? demanda Gaël.

— De quoi faire sauter tout le gouvernement.

Je pense que c'est à cause de ça que Julio est mort. On va voir. Vous venez toujours à Carthagène avec moi ?

— Plus que jamais !

— Alors à demain 9 h 30 à l'aéroport d'El Dorado.

— Pourquoi demain ? Je vous l'ai demandé : laissez-moi dormir ici. N'importe où.

— Ne gâchez pas tout. Demain, Gaël, je vous le promets.

Elle se hissa sur la pointe des pieds et l'embrassa légèrement sur les lèvres. Le regardant partir, elle se dit qu'il était magnifique. Et noble. Julio aussi avait été cela. Mais Julio était mort.

Consuelo ferma les yeux et s'efforça de penser à Carthagène. Le souvenir de son mari la bouleversait. Tout à l'heure, elle avait cru que Gaël le lui avait fait oublier définitivement. Mais cette caresse dont le souvenir la brûlait. était-elle de Gaël ou de Julio ?

8

A l'aéroport d'El Dorado, l'hôtesse venait d'annoncer le vol pour Carthagène. L'avion serait à l'heure. Consuelo regarda nerveusement sa montre pour la dixième fois en dix minutes. Pourquoi Gaël était-il tellement en retard ? S'il manquait l'avion, devait-elle le manquer aussi ?

Elle décida que non. Gaël ou pas, elle partirait. Elle l'aurait volontiers attendu, mais c'eût été une preuve de faiblesse. Elle ne pouvait pas être à sa dévotion et se comporter uniquement en fonction de lui !

— Dernier appel pour le vol Avianca en direction de Carthagène.

Ballottée par la foule indifférente, Consuelo, la mort dans l'âme, se dirigea vers le salon d'embarquement. Toujours pas de Gaël ! Elle haussa les épaules et fusilla du regard un Américain trop admiratif.

Quand elle pénétra dans l'avion, elle repéra tout de suite la mince silhouette de Jaime et les lourdes épaules d'Armando. Ils se tenaient près de la porte d'accès et surveillaient les entrées d'un œil terne.

Consuelo avait passé la nuit dans sa chambre, consciente de la présence de Gaetano sur le paillasson de sa porte. Mais elle avait mal dormi, entendant encore sonner le bruit des balles sur la maison, sa maison. Qui donc avait hurlé ?

Gaël l'avait effrayée avec ses conseils. Ce que ni Ramon ni Jaime n'avaient obtenu, le jeune Français le lui avait arraché en quelques instants. Elle s'étonna qu'il eût déjà tant de pouvoir sur elle, mais s'en réjouit secrètement.

— Vous n'avez pas vu mon ami français ? demanda-t-elle à Jaime.

Le garde du corps secoua la tête, désolé.

— Vous venez avec moi à Carthagène ?

— Mais oui.

— Qui vous a prévenu que je partais ?

— Vous même, *señora* !

— Moi ?

— Oui. Vous me l'avez annoncé hier soir, après la fusillade : demain, je serai à Carthagène. Je prends l'avion de bonne heure.

— Je vous ai dit ça ? Impossible. Excusez-moi, Jaime, mais vous avez dû écouter aux portes.

— *Señora,* vous étiez un peu troublée…

Consuelo alla s'asseoir en songeant que Ramon serait furieux. Non seulement il dépensait une véritable fortune pour la faire protéger, car, la jeune femme n'en doutait pas, les gages des quatre hommes devaient être très élevés, mais encore elle ne lui disait même pas qu'elle partait à l'autre bout du pays ! Alors qu'elle avait promis de s'envoler avec lui pour l'Amérique…

Les moteurs grondèrent. Consuelo fut tentée de crier : « Arrêtez, il faut que je descende ! », et de se jeter à la recherche de Gaël. Un sursaut d'orgueil l'en empêcha. Et puis, on n'arrête plus un jet dont les moteurs sont en route...

A Carthagène, elle se rua sur le bureau de renseignements de la compagnie. Il n'y avait aucun message pour elle. Quand elle se retourna, Maria-Pilar était là et lui tendait les bras. Les deux amies s'étreignirent longuement.

— Qu'est-ce que tu as ? s'inquiéta aussitôt Maria-Pilar. Tu es pâle comme une morte. Tu as été malade en avion ? Quelque chose de grave t'est arrivé ? Que puis-je faire ?

Consuelo ne répondit pas. Mais elle pensait : « Ne pas quitter l'aéroport ! Reprendre le premier avion pour Bogota ; il y en a un dans une demi-heure. Il est arrivé quelque chose à Gaël ! » Elle essayait en vain de se raisonner. Si son ami arrivait par le prochain avion ? Elle ne lui avait même pas donné l'adresse de Maria-Pilar !

Armando et Jaime attendaient placidement. Consuelo prit soudain une décision. Elle ne retournerait pas à Bogota. Mais Jaime irait à sa place. S'il était arrivé quelque chose, il le saurait vite.

Mais, quand elle lui exposa ce qu'elle attendait de lui, Jaime refusa :

— Excusez-moi, *señora,* mais le *señor* de Capamarcos m'a donné des ordres : veiller sur vous et ne pas vous quitter d'une semelle, sauf la nuit, quand la relève est là. Je voudrais bien vous aider, mais ni Armando ni moi ne pouvons retourner à Bogota sans vous.

Consuelo hocha la tête. Elle comprenait. Il

fallait trouver un moyen de joindre Cristofo Sanchez.

Ils montèrent tous les quatre dans la grosse voiture de Maria-Pilar. L'air était chaud et humide ; ils laissèrent les vitres ouvertes.

Consuelo retrouvait Carthagène. Pour elle, cela restait la plus belle ville du monde. Maria-Pilar habitait au cœur de la vieille cité, tout près port, rue du collège, derrière la place Bolivar.

Ils traversèrent les quartiers neufs, les constructions de béton et la ville moderne pour retrouver bien vite, en face du Fort San Felipe qui montait toujours la garde, les quartiers anciens aux balcons à colonnades finement ouvragés, aux portes cloutées, les fenêtres grillagées comme à Séville, les murs ocres et les couleurs vives des maisons.

C'était, comme jadis, une projection de l'Espagne noble et authentique, et la ville se souvenait de son passé avec orgueil. La brise venue du large rafraîchissait l'atmosphère et soudain, Consuelo se sentit de nouveau heureuse. Elle avait certainement exagéré ses alarmes ! Peut-être n'était-ce qu'une question de jalousie ? Elle imaginait Gaël dans les bras de Peggy Henning… mais ne supporta pas cette vision.

Par l'avenue Venezuela et la Calle del Tablon, ils arrivèrent chez Maria-Pilar, qui annonça :

— Mon mari est à Baranquilla. Il ne rentrera que ce soir. Est-ce que tes amis nous feront l'amitié de rester avec nous jusque-là ?

— C'est trop d'honneur, *señora,* intervint Jaime. De toute façon, nous ne pouvons pas trop quitter la *señora* de Villarosa.

— Je t'expliquerai, dit Consuelo en souriant devant l'étonnement de son amie.

Il fut convenu que les deux gardes du corps habiteraient l'un en haut dans une petite pièce et l'autre dans une annexe de la buanderie, reconvertie en chambre de secours.

Il y avait un téléphone dans la grande entrée, très sombre, aux meubles anciens bien cirés qui évoquaient la Castille. Les Colombiens mettaient souvent un point d'honneur à posséder de tels meubles et, comme les premiers Américains, s'honoraient, quand ils le pouvaient, de leur ascendance espagnole. C'était le cas de Maria-Pilar.

Mais Consuelo toujours par crainte du ridicule n'osa pas décrocher tout de suite l'appareil pour demander le *Hilton* à Bogota.

Les deux amies passèrent leur après-midi à flâner dans la vieille ville, parlant de tout et de rien. Maria-Pilar sentait Consuelo préoccupée, rongée par un tourment secret, mais elle n'osait pas poser de questions. Elle l'emmena à Bocagrande, le quartier chic et neuf de Carthagène, une étroite langue de terre au bout de la baie où se côtoyaient désormais les plus grands noms du commerce de luxe international. Les jeunes femmes s'attardèrent deux heures au Pijao et chez Willis Bronkie, les deux meilleurs spécialistes en émeraudes de Carthagène. Consuelo aimait les émeraudes. Elle désira soudain, plus que tout au monde, que Gaël lui en offre une !

Mais Gaël n'avait toujours pas donné signe de vie...

— Rentrons, veux-tu ? proposa enfin Consuelo.

Elles reprirent le chemin de la rue du Collège, toujours suivies par Jaime et Armando. Quelques instants plus tard, elles étaient au salon, et buvaient des rafraîchissements lorsque Jaime se présenta et demanda à Consuelo quelques instants d'entretien. Il semblait très embarrassé :

— *Señora,* je viens de recevoir un appel téléphonique...

Elle sentit son cœur se serrer. Cela ne pouvait être qu'une mauvaise nouvelle. Ses pressentiments se vérifiaient :

— Dis, Jaime, dis vite !

— *El señor* de Capamarcos ne veut plus que nous travaillions pour lui. Il ne veut plus nous payer. Il nous a dit de rentrer à Bogota.

Consuelo se sentit presque soulagée. Il n'était donc rien arrivé à Gaël !

— Eh bien, vous voyez, c'est que je ne risque plus rien. C'est une bonne nouvelle, s'efforçat-elle de plaisanter, bien qu'elle n'en eût guère envie. Jaime et Armando étaient aussi sécurisants qu'encombrants.

— Si, *señora,* vous risquez encore beaucoup. Nous le savons. Alors, voilà...

Il se balança un instant sur ses jambes, comme s'il hésitait à se jeter à l'eau :

— Armando et moi, nous avons décidé de rester avec vous. Vous avez encore besoin de protection. Si vous pouvez simplement nous fournir un lit et les repas, nous serons heureux de vous protéger aussi longtemps que nécessaire.

Bouleversée par cette marque d'affection — car comment l'interpréter autrement ? — Consuelo ne sut d'abord que répondre.

— J'accepte votre proposition, finit-elle par répondre. Mais je prends votre salaire à ma charge.

— Pas question de salaire, *señora !* Votre

amitié et votre estime mais pas d'argent. Et puis... vous vous souvenez de Conchita ?

— La petite fille de l'hôpital ?

— Oui. Elle est sauvée. Elle a repris goût à la vie. Elle a trouvé du travail. C'est la nièce d'Armando, *señora.*

Consuelo avait un jour aidé une fillette, grièvement brûlée dans un accident. Elle l'avait fait admettre à l'hôpital, avait veillé à ce qu'on la soigne le mieux possible, était venue lui rendre visite, avait aidé financièrement ses parents, leur avait trouvé un logement.

— Alors je vous remercie et j'accepte avec reconnaissance. Je voudrais seulement savoir pourquoi don Ramon ne veut plus que vous travailliez pour moi ?

— Je ne sais pas, *señora.* Il a juste dit que ce n'était plus la peine et qu'il ne pouvait plus nous payer.

Consuelo se promit d'appeler Ramon pour en avoir le cœur net. Mais elle avait deviné. Cependant la jalousie du jeune député de Medellin la laissait froide, elle dut le reconnaître, tout occupée qu'elle était du sort de Gaël.

Rentrée dans la maison, elle n'y tint plus, décrocha l'appareil dans le hall et appela l'hôtel *Hilton* à Bogota. Une voix chantante lui apprit que le *señor* Quennec avait quitté l'hôtel ce matin, qu'il avait payé sa note en disant qu'il partait pour quelques jours seulement et qu'il reviendrait.

Il comptait donc bien se rendre à Carthagène ! Mais il n'y était jamais arrivé. Il n'était même sans doute jamais arrivé à l'aéroport d'El Dorado...

— Maria-Pilar, je te demande pardon, mais il faut que je rentre ce soir même pour Bogota.

— C'est grave ?

— Oui, je le crains.

— Il y a un avion dans deux heures. C'est le dernier de la journée.

— Je le prends.

Consuelo appela Jaime et Armando à la rescousse. Elle dit tout, à l'exception d'une chose : son amour pour Gaël. Mais Armando la regarda avec un bon sourire :

— Vous y tenez tellement à votre *gringo*. *señora* ?

La jeune femme rougit d'abord, puis elle fixa Armando droit dans les yeux :

— Oui, j'y tiens.

— Il sait se battre, commenta Jaime, se souvenant de la bagarre au restaurant d'Angelina. Et c'est un bon *gringo*.

— On vous le retrouvera, *señora,* n'ayez crainte.

Personne n'osait formuler la question que chacun avait pourtant à l'esprit : mort ou vivant ? La Colombie était devenue une nation si violente, si cruelle, tellement déchirée par ses luttes intestines, que la vie humaine n'y avait plus grande valeur. On y tuait pour un oui, pour un non.

— Allons dîner avant votre départ, proposa Maria-Pilar. Nous avons le temps.

— Je n'ai pas très faim, protesta timidement Consuelo. Mais j'irais bien me promener encore un peu. J'aime tant cette ville !

Marie-Pilar céda à ce désir et ils déambulèrent dans les rues chaudes avant de gagner Crespo, l'aéroport de Carthagène, situé entre la mer des Caraïbes et l'immense lagune, derrière la ville.

Comme Consuelo faisait nerveusement les cent pas dans le hall, Maria-Pilar soupira :

— Ne sois pas tellement impatiente, beaucoup d'ennuis t'attendent là-bas !

— Au moins, je ferai quelque chose ! Mais tu es gentille... Tu sais, je compte bien revenir... avec lui. Je voudrais lui montrer cette ville. Et l'emmener à San Andres : cette île est un paradis.

— Je vous attends donc.

Le vol pour Bogota fut enfin annoncé. Suivie de son escorte, Consuelo se dirigea vers le salon d'embarquement, suscitant l'admiration sur son passage. Les hommes se retournaient sur elle, fascinés par ce regard à la fois orgueilleux et traqué.

9

Revenue à Bogota après un vol sans histoires, Consuelo fut vite chez elle. Rien n'avait changé, mais l'Oldsmobile bleue n'était plus là. Mais il lui restait encore deux gardes du corps sur les quatre : elle se sentait en sécurité. Jaime et Armando veilleraient sur elle.

Elle leur donna les deux meilleures chambres de la maison et les retrouva dans le salon pour tenir un bref conseil de guerre. Elle remarqua une lueur trouble dans les yeux d'Armando quand elle croisa un peu trop haut les jambes, mais le gorille baissa aussitôt les yeux, comme gêné de sa hardiesse...

— Je peux aller trouver Cristofo Sanchez tout de suite, proposa-t-il.

— Il est tard.

— A cette heure-ci, il ne dort pas, *señora.* Il commence à peine à vivre et à se saouler.

Consuelo ne broncha pas. Le gros homme était, de toutes ses connaissances, le plus susceptible de l'aider à retrouver Gaël. Un rapide coup de téléphone au *Hilton* venait de lui confirmer que le Français n'avait pas reparu.

— Allons-y.

— *Señora,* fit Jaime, gêné, il faudrait vous

habiller autrement. Vous êtes trop belle comme ça !

Elle comprit le sous-entendu : « Gare à la brutalité des gens que nous allons rencontrer ; ne les provoquez pas inutilement. »

Elle passa un gros pull vert sur ses jeans et cacha ses superbes cheveux noirs sous un sombre foulard. Une brève excursion dans la salle de bains afin d'enlever l'essentiel de son maquillage compléta son déguisement.

— Où allons-nous ?

— Tout près d'ici. Au croisement de la première rue et de la septième avenue.

— Mais c'est presque au centre de la ville !

— Et pourquoi pas ?

Il y avait effectivement à l'endroit indiqué un night-club appelé *Las delicias del Paraiso* (1) gardé par deux cerbères qui s'effacèrent en reconnaissant Jaime. Cristofo Sanchez trônait au deuxième étage et la porte de son bureau, largement ouverte, donnait sur un tripot clandestin. Une foule énorme s'y adonnait aux joies du baccara et de la roulette.

Avant que Cristofo ne referme la porte d'un coup de pied, Consuelo eut le temps de repérer deux visages connus, ceux de députés qu'elle côtoyait lors des séances au Parlement. Sur la table du maître de céans s'entassaient *pesos* colombiens, dollars américains et autres monnaies étrangères. Beaucoup d'argent, estima la jeune femme.

Cristofo ne manifesta guère d'étonnement à la voir :

— L'autre jour, tu m'as envoyé un message,

(1) Les délices du paradis.

juste avant de partir pour Carthagène. Mais je ne pense pas que tu viennes pour ça, n'est-ce pas ?

La gorge nouée, Consuelo l'approuva. Elle savait beaucoup de choses sur le monde qu'elle dénonçait à la tribune de l'Assemblée, mais c'étaient des données presque abstraites. Ici, la corruption était concrète. Et l'un de ses amis tenait un tripot. Si quelqu'un l'apprenait...

— Personne ne vous a suivis ? interrogea Sanchez.

Sur la réponse négative de Jaime et d'Armando, il se tourna vers la jeune femme :

— Tu viens pour le Français ?

— Oui.

— Tu es amoureuse ?

— Je ne sais pas.

— Moi, je sais !

Il avait prononcé ces mots sur un tel ton que les trois hommes éclatèrent de rire. D'abord vexée — de quoi se mêlaient-ils ? — Consuelo finit par sourire.

— D'accord. Tu sais où il est ?

— Pas encore. Mais je sais qu'il a été pris hier matin. Des membres de la bande du *Marquesito* l'ont vu : il sortait de l'hôtel, il a appelé un taxi. C'est une grosse bagnole qui est venu. Cinq types dedans. Ils l'ont assommé et embarqué. Je ne sais pas pour quelle destination.

— Tu penses qu'il est...

Elle n'osa pas achever sa phrase. Mais la mort était une possibilité que son esprit envisageait.

— Je ne sais pas, répéta-t-il. Mais je le saurai. Tu peux m'aider ?

Consuelo comprit à demi-mot. Elle ouvrit son sac et en tira un tout petit paquet qu'elle tendit à

Sanchez. Celui-ci en tira une émeraude brute d'un poids considérable, la soupesa dans sa main et regarda attentivement sa visiteuse. Les deux gardes du corps s'étaient rapprochés et regardaient aussi, les yeux exorbités.

— Elle vaut beaucoup d'argent, tu le sais n'est-ce pas ? Je n'ai pas besoin de tant.

— Prends ce qu'il faut et garde le reste. C'est pour ta peine. Et je serai encore ton obligée.

— Je ne veux pas d'argent de toi.

Il se pencha vers un interphone et, un instant, le bruit sourd des salles de jeux résonna dans l'appareil posé sur le bureau bancal. Cristofo Sanchez était très riche, mais rien ne le laissait paraître.

Deux hommes et une femme parurent, qui jetèrent des regards furtifs et surpris sur Consuelo. Ils savaient qui elle était.

— Le premier qui dit ce qu'il a vu ici ce soir est mort, prévint Cristofo.

Il leur donna ensuite une série d'instruction dans un espagnol mâtiné d'argot que Consuelo comprenait à peine. Quand les trois personnages sortirent, Cristofo s'adressa à Consuelo :

— Pour l'instant, je ne peux rien faire de plus pour toi. Sinon te donner un conseil : méfie-toi de tout le monde et surtout de tes amis.

— Qu'est-ce que tu veux dire par là ?

— Rien de plus, rien de moins que ce que je viens de dire. Fais attention. Ta vie est en danger. Ton fils est en sûreté ?

— Oui. Je crois.

— Où est-il ?

Consuelo répondit sans hésiter. Elle avait une confiance absolue dans la parole de cet homme.

— Je vais faire garder la maison de loin. A titre de précaution. Mais il ne risque rien.

Il prit ensuite Consuelo à part :

— Et ces deux-là ?

— Ils m'ont offert de travailler gratuitement pour moi. J'ai accepté. J'ai besoin d'amis.

— *Vaya con Dios,* Consuelita. Je m'occupe de tout.

Elle serra chaleureusement la main du tenancier, épanoui de satisfaction. Il lui désigna une porte dérobée. Consuelo et ses gardes sortirent sans être vus. Elle savait désormais que Gaël serait retrouvé. Mais dans quel état ?

« Je porte malheur, se dit-elle. Julio, naguère, et peut-être Gaël maintenant. Mon Dieu, faites que ce soit faux ! Faites qu'il me revienne ! Je ne pourrai pas supporter de le perdre. »

Elle se coucha dès son retour chez elle et s'endormit aussitôt d'un sommeil de plomb, sans rêve, avec, pourtant, tapi quelque part, tout au fond d'elle-même, le sentiment de négliger une chose importante.

Dès son réveil, elle sut : Ramon ! Il fallait éclaircir ce point : l'homme qui se disait son ami avait donné l'ordre aux deux gardes du corps de l'abandonner et de rentrer à Bogota ! Pourquoi ? Les paroles de Cristofo Sanchez lui revinrent en même temps à l'esprit : méfie-toi de tes amis.

Le téléphone sonna plusieurs fois. Jaime répondit, sur ses instructions, que la *señora* de Villarosa était déjà partie et qu'il ne savait pas quand elle rentrerait.

Consuelo passa une robe de toile et se maquilla à peine. Le miroir de sa chambre lui renvoya néanmoins l'image d'une jolie femme, aux traits un peu tirés, mais qui n'en paraissait que plus attirante. Elle repassa un peu de rouge à lèvres et, réflexion faite, insista davantage sur le maquillage de ses immenses yeux noirs.

— Là où je vais, il vaut peut-être mieux que je sois seule, dit-elle aux deux hommes qui la contemplaient silencieusement.

Elle expliqua. Armando haussa les épaules :

— C'est vous notre cliente, pas lui. Ça nous est égal. On va avec vous.

— Comme vous voudrez. Merci.

Avant de prendre son sac, elle les regarda tous les deux.

— Je vous jure qu'un jour je vous revaudrai ce que vous faites en ce moment pour moi. Je vous le promets.

Gênés, les deux gardes du corps rougirent comme des enfants :

— Ce n'est rien, *señora,* ce n'est rien.

Ramon habitait à vingt kilomètres de Bogota, Pueblito de Yerbabuena, sur la route de Tunja, tout près du petit village reconstitué que les responsables du tourisme colombien avaient ouvert aux visiteurs. Sa maison, très belle, très discrète, se trouvait à cent mètres de l'église reconstruite dans le style colonial.

Consuelo conduisant sa Fiat arriva rapidement. Ramon de Capamarcos ouvrit dès qu'elle agita la clochette du jardin et la fit entrer en affectant une joie extrême.

Consuelo n'était jamais venue chez lui. L'intérieur était meublé avec goût ; une grande vitrine abritait une splendide collection de statuettes pré-colombiennes, mises en valeur par un éclairage savant. Une armure ancienne de conquistador et des livres aux reliures de cuir achevaient de donner à cette demeure un cachet luxueux mais strictement masculin. Aucune femme n'avait jamais vécu là, c'était évident.

— Je fais du café. Attends un peu.

Ramon revint très vite avec deux *tintos* servis dans des tasses de porcelaine anglaise ancienne sur un plateau d'argent.

— Il faut que je te parle, dit rapidement Consuelo.

— Assieds-toi d'abord ! Je suis content de te voir.

Consuelo ne perdit pas de temps. Elle était de plus en plus convaincue que Cristofo parlait de Ramon quand il la mettait en garde contre « ses amis ».

— Pourquoi as-tu donné l'ordre à Jaime et Armando de rentrer quand ils t'ont appelé hier de Carthagène ?

Ramon pâlit légèrement et prit tout son temps pour avaler une gorgée de café.

— Parce que j'ai de bonnes raisons de croire que tu n'as plus besoin d'eux maintenant. Ils étaient donc inutiles.

— Sais-tu que, la veille, on avait tiré sur ma maison ?

Il prit la main de Consuelo dans les siennes mais elle la dégagea aussitôt.

— C'est horrible. Qui a pu faire ça ?

— Peut-être les gens que tu avais promis d'écarter de ma route ? Peut-être d'autres.

— Je crois que tout cela est loin et que j'ai beaucoup exagéré mes craintes. Excuse-moi de t'avoir importunée avec ça.

— Tu penses donc vraiment que je ne risque plus rien ?

— J'ai effectivement tout lieu de le croire.

Elle était venue pour rien : Ramon mentait. Il était jaloux, bêtement, et se vengeait. Il n'avait pas supporté de se voir supplanté dans le cœur de Consuelo par un de ces hommes venus du nord, qu'il détestait, alors que lui attendait un signe d'elle depuis des années.

Ce signe, elle le lui avait fait, l'autre jour, chez elle. Ne lui avait-elle pas, d'elle-même, tendu ses lèvres ?

— Je me suis trompée, Ramon. Excuse-moi d'être venue.

— Tu t'es trompée sur quoi, Consuelo ?

— Cela n'a plus d'importance. Il faut que je retourne à Bogota.

— Tu ne vas pas partir comme ça !

Le changement de ton dans la voix du jeune homme l'alerta et elle se raidit. Se levant en même temps qu'elle, il marcha vers elle, les mâchoires crispées, l'œil trouble.

Elle le défia du regard, mais il n'y fit même pas attention.

Il la saisit dans ses bras et, penché sur elle, chercha ses lèvres. Elle détourna la tête, ne réagissant pas davantage. Peut-être son calme suffirait-il à le dissuader ?

Mais Ramon enfouit ses lèvres dans le cou de la jeune femme. Elle sursauta comme si une guêpe l'avait piquée et s'arracha à son étreinte. La main de Ramon crocha dans le haut de la robe et l'arracha à moitié.

Consuelo fit un bond en arrière, malgré elle. La robe se déchira encore davantage. Le souffle court, les mains pendantes, Ramon se tenait devant elle et se préparait visiblement à un nouvel assaut. Consuelo eut un instant la tenta-

112

tion de crier, d'appeler Jaime et Armando. Mais entre Ramon et elle, c'était un combat singulier qu'elle devait mener. Quelque chose au plus profond d'elle-même lui disait que cela devait être ainsi.

— Je veux que tu sois à moi, Consuelo de mon cœur, et par Dieu, tu vas l'être.

— Jamais ! Laisse-moi partir. Tu es jaloux et c'est tout. Tu te comportes comme un imbécile.

— Moi, jaloux ? De ce *gringo* ? Moi, un Capamarcos, m'abaisser à jalouser un malheureux sous-diplomate français ? Tu veux rire ?

Il fit de nouveau un pas vers elle et cette fois, elle eut peur. Les yeux fous, le visage rouge, les cheveux en bataille, le beau Ramon avait perdu toute dignité et tout sang-froid. Sa carapace de bonne éducation craquait.

Elle voulut crier : une main brutale l'étouffa, qu'elle tenta de mordre. En vain. Ramon était plus fort qu'elle ne le croyait... La bretelle de son soutien-gorge céda. La main de Ramon se posa aussitôt sur l'épaule nue et ses ongles s'y incrustèrent, son autre main demeurait appuyée sur la bouche de la jeune femme.

— Je ne te lâcherai plus, Consuelo Ayala de Villarosa ! Fini de jouer. Cela fait des années que tu te moques de moi. Aujourd'hui, il faut que tu payes.

Les dents serrées, la jeune femme luttait de toutes ses forces pour ne pas céder à la panique. Elle savait qu'on ne prend pas une femme de force, à moins de l'assommer au préalable. Mais elle buta contre une table basse, tomba sur le tapis, entraînant Ramon avec elle.

Comme il tentait de l'immobiliser, son étreinte se relâcha un court instant. Elle en profita pour lui échapper, roula sur le côté, se releva, se précipita vers la porte.

Mais Ramon la rattrapa et, la plaquant sauvagement contre lui d'un bras, il essaya, de l'autre, d'arracher ce qui restait du corsage.

A cet instant, Consuelo entendit vaguement une porte claquer. Le son lui sembla venir de très loin. Mais, soudain, Ramon fut arraché à sa proie et un fabuleux coup de poing l'expédia contre l'armure du conquistador qui s'écroula dans un grand fracas.

Jaime et Armando venaient d'intervenir. Le premier releva Ramon et entreprit de le corriger méthodiquement. Le visage en sang, celui-ci ne réagissait déjà plus.

— Jaime, laisse, je t'en prie.

Haletante, Consuelo intervenait. Elle ne parvenait pas à détester vraiment Ramon. Après tout, il pouvait lui en vouloir !

— Laisser ce porc, *señora* ?

L'homme n'en revenait pas.

— Oui, s'il te plaît, Jaime !

— Puisque vous le dites.

Il relâcha son étreinte et Ramon s'écroula contre le mur. Consuelo trouva sans peine la salle de bains, répara vaille que vaille les dégâts de sa tenue.

Pendant ce temps, le député de Medellin avait repris ses esprits. Effondré sur un fauteuil et gardé de près par les deux hommes, perplexes, il pleurait silencieusement, les mains entre ses genoux, la tête basse.

La jeune femme s'approcha de lui avant de partir, hésitant un peu sur la conduite à tenir.

— Ramon, appela-t-elle doucement, Ramon ?

Il ne releva pas la tête, mais ses sanglots se

114

firent plus forts. Incapables de supporter tant de faiblesse, Armando et Jaime se retirèrent au fond de la pièce. Consuelo ne risquait plus rien.

— Ramon, c'était sans importance, fit-elle aussi bas mais aussi distinctement qu'elle le put. Nous resterons amis. C'est vrai que c'est aussi ma faute.

Il ne bougea pas. Consuelo parlait à un homme fini. Elle pourrait oublier. Lui, non.

Jaime et Armando lui emboîtèrent le pas quand elle sortit de la maison et refermèrent sur eux la porte du jardin. Elle fit bonne contenance jusqu'à ce qu'elle se soit installée au volant de sa petite Fiat. Puis elle fondit en larmes, incapable de se contrôler, les épaules secouées d'un tremblement nerveux qu'elle ne parvint à maîtriser qu'après un long, très long moment.

Elle mit alors le contact et reprit la route de Bogota. Il fallait retrouver Gaël. Et ce matin, elle n'avait rien appris qui lui permette d'avancer dans ses recherches.

10

Consuelo se dirigea vers la place Bolivar. Elle voulait travailler, dans son bureau de l'Assemblée, à son intervention de l'après-midi. Elle avait dit qu'elle ferait cette intervention ; elle n'avait aucunement l'intention de se dédire.

Ce n'est qu'en arrivant devant la Bourse, tout près de l'Assemblée, qu'elle se rappela sa tenue. Elle accéléra d'un coup de pied rageur, franchit l'avenue Jimenez Quesada au rouge, devant un bus qui fit une embardée avant d'emboutir un taxi.

La Buick n'avait pas pu suivre. Consuelo fonça dans la septième avenue, passa devant la résidence présidentielle en se demandant si le Président était, lui aussi, corrompu !

Prise d'une inspiration subite, elle s'arrêta devant son kiosque à journaux habituel et descendit de voiture. Le vieux Francisco lui sourit et lui tendit son journal. Consuelo le prit machinalement, le regarda d'abord avec indifférence, puis s'arrêta net sur le trottoir.

« Ayala de Villarosa ira-t-elle jusqu'au bout ? » La phrase s'étalait en première page. Suivait un long développement. Les autres quotidiens du matin faisaient également leurs manchettes sur l'événement du jour : Consuelo parlerait-elle ou pas ?

— *Señora,* appela le vieux Francisco, *señora,* il faut que je vous dise une chose qui n'est pas dans les journaux, parce qu'ils ne le savent pas encore…

Le vieil homme ménageait ses effets et prenait son temps. Consuelo rougit, découvrant que tous les hommes qui passaient louchaient sur sa poitrine à demi-dénudée. Elle eut honte, mais son interlocuteur :

— Madame le député, je peux vous dire, en confidence, qu'il y aura cinquante mille personnes devant le Capitole cet après-midi. Tous venus pour vous défendre ! Ils veulent que vous parliez. Ils veulent que vous sortiez librement de là en ayant tout dit. *Señora,* tout le peuple de Bogota sera là, avec vous.

Consuelo sentit les larmes lui monter aux yeux. Elle balbutia :

— Merci, Francisco, merci…

Quand elle remonta dans sa voiture et appuya sur le démarreur, elle constata que la Buick jaune l'avait rejointe. Elle fit un signe de la main à ses deux anges gardiens et fonça dans la sixième rue.

Rien ne semblait avoir été dérangé cette fois chez elle. Elle prit le temps de se changer et de téléphoner à Paco. L'enfant fut à peine tendre : il avait bien d'autres occupations et Consuelo, heureuse, lui rendit vite la liberté de faire des choses plus importantes que d'écouter sa mère au téléphone.

Elle appela ensuite Cristofo, raccrocha immédiatement et demanda à Jaime de faire le numéro à sa place. Si par hasard elle était sur table d'écoute, c'en eût été fait d'elle ! Cristofo n'était apparemment pas là, mais Jaime parla longuement avec un mystérieux interlocuteur.

Quand il raccrocha, il semblait perplexe :

— On ne sait toujours pas où est le *señor frances*. Rafaelito, que je viens d'avoir, dit que tous les *gamines* de Bogota (1) sont à sa recherche ainsi que tous les indicateurs de la ville. On ne saurait tarder à savoir. Il dit aussi, reprit Jaime, que vous pouvez aller sans crainte à l'Assemblée cet après-midi. Vous serez sous surveillance incessante ; vous l'êtes déjà maintenant. Il va de soi que, Armando et moi-même, restons chargé de votre protection rapprochée. Il dit enfin qu'il y aura beaucoup de monde autour du Capitole et que ça pourrait tourner mal. Mais ne vous en faites pas !

« Ça pourrait tourner mal ! »

En Colombie, tout pouvait toujours tourner mal. Mais si la police, voire la troupe, se mettaient à tirer sur la foule — cela s'était déjà vu — ce serait un massacre. Avait-elle le droit de conduire des gens au massacre au nom d'une morale dont elle commençait à ne plus être aussi sûre ?

« Les événements que j'ai déclenchés commencent à me dépasser », se dit-elle. « Je suis récupérée, je deviens un jouet. » Mais il lui fallait maintenant aller jusqu'au bout. Il était trop tard pour reculer.

Gaël lui manquait cruellement. Sa force et son

(1) Les *gamines* de Bogota sont une institution de la ville. Ils vivent en bandes régies par un strict code de l'honneur et subsistent en volant ou en « récupérant » sur les « riches ».

assurance tranquilles auraient fait merveille dans les constances présentes. Mais peut-être l'avait-on déjà abattu ?

Elle invoqua le souvenir de Julio, mais découvrit avec épouvante que le sortilège qui l'avait soutenue si longtemps était mort aussi. Le talisman n'agissait plus. Gaël avait tout pris, en si peu de temps.

Ouvrant le coffre-fort caché dans le mur, Consuelo en sortit un document couvert d'une écriture soignée. C'était le reçu d'une somme de cent trente mille dollars payée à un certain Alfonso Galvez. Elle le regarda et le remit à sa place.

Elle sortit ensuite une photo et la contempla longuement. Ce cliché représentait deux hommes dans un bureau. Il était sans intérêt technique, mais le seul fait que ces deux hommes aient été ensemble suffirait à renverser le gouvernement et, peut-être, à bouleverser les structures du pays !

Consuelo avait des photocopies du cliché et du reçu. Elle les rangea dans son sac, referma le coffre sur les originaux. Julio était sans doute mort pour ces clichés ! Maintenant sa veuve s'apprêtait à le venger.

Les traits tirés, Consuelo s'aperçut qu'elle avait besoin de se remaquiller. Elle y consacra quelques instants avant de réapparaître devant ses deux compagnons, vêtue d'une robe stricte de toile beige et rouge qui gommait ce que sa silhouette avait de sensuel. Surtout ne pas donner prise aux plaisanteries douteuses...

Les deux gardes du corps se levèrent à son retour. L'air résolu de la jeune femme les impressionna :

— *Es usted un verdadero caballero* (1), dit Jaime.

Le compliment lui alla droit au cœur. Elle posa ses deux mains sur l'épaule du pistolero :

— Le *caballero* a peur, Jaime. Tout cela me dépasse un peu.

— Prenez surtout garde à votre sac, *señora*. Et courage ! Mais vous en avez à revendre...

Ils montèrent tous les trois dans la Buick jaune, sur la suggestion d'Armando et arrivèrent très vite à l'Assemblée. Jaime rangea la voiture sur le parking réservé aux parlementaires et ils montèrent les escaliers du Capitole.

Par une fenêtre, ils virent qu'une foule déjà importante se trouvait sur la place Bolivar. Les crieurs de journaux vendaient les quotidiens du jour « avant la séance historique ». Des voitures de police furent huées. Le peuple de Bogota n'aimait pas sa police. Consuelo songea à Guttierez et soupira.

Dans le long couloir qui menait à son petit bureau, elle se heurta à un vrai barrage de journalistes qui voulaient tous une interview. Elle refusa poliment. Elle avait déjà été interviewée par la presse et l'exercice de style que cela représentait l'angoissait. Consuelo se sentait en outre trop tendue ; toutes ses ressources nerveuses, elle devait les conserver pour la séance de tout à l'heure.

Dans son bureau, tout petit — elle n'appartenait à aucun groupe et elle comptait parmi les plus jeunes parlementaires — un immense bouquet l'attendait. La carte qui y était accrochée portait juste deux mots : « Pardon. Ramon. »

_____

(1) Vous êtes vraiment un homme.

Consuelo froissa le bristol élégant avec un haussement d'épaules.

La sonnerie du téléphone grelotta. Le standard de l'Assemblée lui passait une communication. La voix semblait venir de loin.

— *Señora* de Villarosa ?

Il sembla à Consuelo que cette voix était celle qui l'avait déjà appelée pour la menacer une première fois et un affreux pressentiment l'envahit soudain : Gaël !

— C'est moi, répondit-elle en s'efforçant de garder une voix ferme.

— *Señora* de Villarosa, je ne parlerai pas deux fois. Aussi vous prierai-je de bien prendre note de ce que je vais dire : ou bien vous renoncez à votre discours sous le prétexte que vous voudrez, ou bien monsieur Gaël Quennec vous sera rendu en plusieurs morceaux. Je ne vous rappellerai pas, vous n'aurez plus de mes nouvelles. Soyez seulement convaincue que je parle sérieusement et que mes amis et moi tenons toujours nos promesses. Et souvenez-vous bien : si vous parlez...

Un déclic sec mit fin à la conversation. Consuelo, livide, s'appuya à son bureau et tenta de maîtriser le tremblement de ses mains. Jaime et Armando la contemplaient, consternés.

— Il n'y a plus de discours, dit Consuelo aux deux hommes.

Elle avait parlé à voix si basse qu'ils se penchèrent vers elle pour lui faire répéter ses paroles.

— Il n'y a plus de discours. Ils vont le tuer. Il n'y a plus de discours...

La jeune femme luttait contre ses larmes et contre cette boule qui l'étouffait et l'empêchait presque de respirer. Inquiet, Armando s'approcha d'elle, prêt à l'aider si elle se trouvait mal. Mais elle se redressa, et tenta de faire face.

— Ils vont le tuer. Le tuer !

Consuelo répétait la même phrase, comme pour essayer de mieux la comprendre et de la faire comprendre aux deux gardes du corps qui la regardaient toujours, immobiles.

— Ecoutez, *señora !*

Jaime se leva et ouvrit la petite fenêtre du bureau de Consuelo. Elle donnait sur l'une des cours intérieures du Capitole, mais du dehors monta brutalement une formidable rumeur : la foule s'amassait place Bolivar, une foule grondante, depuis longtemps humiliée, qui réclamait justice. La plupart des manifestants ne savaient sans doute pas exactement en quoi devait consister le discours de Consuelo et ignorait peut-être même jusqu'à son existence.

Mais le nom du député de Bogota Sud, suffisamment de Colombiens le connaissaient maintenant pour en avoir fait leur porte-drapeau. Ils étaient prêts à monter à l'assaut derrière lui.

Consuelo comprit qu'elle était prisonnière du mythe qu'elle avait créé malgré elle !

— Si vous ne parlez pas, c'est vous qu'ils vont tuer, résuma sobrement Jaime en refermant la fenêtre.

Ne pas pleurer. Garder le contrôle de ses nerfs. Ne rien laisser paraître. Si elle voulait sauver Gaël — mais le pouvait-elle encore ? — la jeune femme devait à tout prix réfléchir et agir. Ne pas céder à la panique qui l'envahissait.

Jaime avait raison. Si elle ne parlait pas, cette même foule qui la portait aux nues maintenant était capable de refluer vers sa maison et d'y mettre le feu. Comme elle était capable d'envahir l'Assemblée et de l'en faire sortir pour la lyncher...

Cristofo Sanchez et ses hommes la protégeraient contre les conséquences de ses paroles à la tribune de l'Assemblée. Mais ils ne pourraient rien faire, si elle se dérobait !

Consuelo décrocha le téléphone et composa un numéro intérieur. Manuel de Alvarez était là. Le vieux parlementaire saurait l'aider, comme il l'avait toujours fait.

— Manuel, peut-on trouver un artifice de procédure pour faire reporter la séance à demain ?

Bouleversé par la détresse qu'il devinait dans la voix de Consuelo, le vieux monsieur ne posa pas de questions. Le silence se prolongea :

— Allô, Manuel ! Tu es toujours là ?

— Oui, Consuelita. Je cherche. Je fais téléphoner au président sur une autre ligne. Je pense que c'est très important, n'est-ce pas ?

— C'est une affaire de vie ou de mort. Pas pour moi. Pour quelqu'un qui m'est proche.

— Paco ?

— Non. Pour un homme que j'aime ! Pour l'homme que j'aime ! Oui, c'est ça, l'homme que j'aime...

— Nous avons très peu de temps. Je vais voir ce que je peux faire. Difficile. Reste à ton bureau ou dis-moi où je peux te joindre d'urgence.

— Je ne bouge pas. Merci, Manuel.

Il y eut une altercation devant la porte que Jaime était allé interdire de l'extérieur. « Laissez-les passer », entendit-elle finalement. La porte s'ouvrit et deux hommes entrèrent en

124

trombe tandis que le battant se refermait derrière eux. Gaetano et Jep Francisco arrivaient à
la rescousse !

— On pouvait pas vous laisser comme ça. On
s'est dit que vous auriez peut-être besoin d'un
coup de main aujourd'hui. Alors on est venus...

Consuelo, émue aux larmes par tant de
dévouement spontané, les embrassa tous les
deux.

— C'est pas juste, protesta Armando. Nous,
elle nous a pas embrassés ce matin.

— Je vous embrasserai deux fois ce soir !
Jaime, reprit-elle, fonce chez notre ami, tu
sais où. Je ne peux pas le joindre au téléphone,
ce n'est pas sûr. Mais je veux savoir s'il y a du
nouveau de son côté. Si peu que ce soit.

Jaime était rentré dans la pièce pour un court
instant. Il enfila sa veste de toile qui masquait
son pistolet et sortit en toute hâte. Armando,
pendant ce temps, expliquait aux nouveaux
arrivants ce qui se passait.

La porte s'ouvrit sur Rafaël Montello. Le
porte-parole des *cafeteros* était plus gras et
luisant que jamais. Il prit à peine le temps de
s'excuser pour être entré sans frapper :

— On peut trouver un arrangement,
Consuelo.

— Appelez-moi madame, coupa sèchement
Consuelo.

Décontenancé par le ton de la réponse, le
parlementaire reprit son souffle :

— Nous ne tenons pas à ce que vous parliez,
vous le savez. Mais nous sommes conscients que
ce serait pour vous et pour votre carrière un
handicap considérable. Vous avez de l'ambition
et c'est noble.

— Au fait !

Montello la regarda froidement dans les yeux :

— Cent mille dollars nets tout de suite et un poste d'ambassadrice de Colombie n'importe où dans le monde, sauf à Washington. Le poste sera libre d'ici à trois mois. L'argent serait viré demain où vous voudrez. Il me semble que c'est honnête.

Consuelo le considéra avec la même froideur. Pour le moment, mais il ne le savait pas, c'était encore elle qui tenait les cartes en main. Elle ne pouvait néanmoins pas lui dire que tout ce qu'elle voulait, c'était la vie de Gaël ! Le personnage qu'elle avait en face d'elle et le mépris qu'il lui inspirait se lurent sur son visage. Montello pâlit.

— Je suppose que vous voulez mon dossier contre ce que vous m'offrez là...

L'homme hocha la tête. Consuelo hésita à lui parler de l'enlèvement de Gaël. Il ne savait sans doute rien. Sinon, il aurait joué cartes sur table avec autant de brutalité. Non, décidément, Montello n'était rien. Elle perdait son temps.

Se levant, la jeune femme ouvrit la fenêtre. Une bouffée de chaleur pénétra aussitôt dans la pièce étroite, mais aussi, formidable de puissance incontrôlée, la rumeur de la foule qui occupait maintenant presque toute la vaste place Bolivar.

— Vous savez ce qu'ils veulent, n'est-ce pas ?

Montello haussa les épaules :

— La police s'en chargera.

— Possible. En attendant, si je dis un seul mot, si je répète le quart de notre conversation à ceux qui sont dehors, et que je leur donne votre nom, ils viendront vous chercher par la peau du cou pour vous pendre au premier arbre venu, *señor* Montello.

Elle referma la fenêtre et fit un signe à Armando. Celui-ci ouvrit la porte et s'inclina devant le député avec une révérence insolente :

— Si Votre Seigneurie veut bien se donner la peine...

Blême, Rafaël Montello s'efforça de faire bonne contenance et sortit aussi dignement qu'il le put, accompagné des jurons des deux *pistoleros*.

Il était presque quatorze heures. Dans une heure la séance reprendrait. Et Consuelo savait qu'il n'était plus possible de reculer. Il faudrait alors parler et tuer Gaël, ou se taire et déclencher une révolution dont elle serait peut-être la première victime. Si seulement Manuel rappelait...

Elle posa la main sur le combiné téléphonique, la retira aussitôt. Si Manuel ne rappelait pas, c'est qu'il n'avait encore rien à lui dire.

Jaime frappa à la porte et entra, hors d'haleine, maugréant.

— L'ascenseur est en panne ! Cristofo ne sait pas grand-chose : le Français a été repéré près de Soacha (1), mais le temps que nos amis y arrivent, il n'y était plus.

— C'était vraiment lui ? Et il était vivant ?

— On n'est pas certain à cent pour cent que c'était lui, *señora,* mais à quatre-vingt-quinze, oui. Pour ce qui est d'être vivant, il l'était. Il paraît qu'il se battait comme un fou et qu'ils étaient cinq à le maintenir.

(1) Banlieue sud de Bogota.

Le cœur de Consuelo battit à tout rompre. Gaël vivait, elle en était certaine, elle ! Mais pour combien de temps encore ? Si elle parlait, il mourrait ! Elle en était tout aussi convaincue.

Le téléphone sonna. Consuelo n'osa pas décrocher. Jaime prit l'appareil, écouta quelques secondes et hocha la tête :

— *Si señor diputado, se pone* (1) !

C'était Manuel de Alvarez.

— Consuelo, je suis désolé, je ne peux rien pour toi. Impossible de les faire renoncer. Ils veulent ce débat. Les présidents de groupe ont refusé avec un bel ensemble. Il paraît que, de ton côté, tu as repoussé certaines propositions...

— Tu sais tout, je vois ?

— Non, pas tout. Mais alors ?

— Alors, je vais voir. Merci d'avoir essayé. Merci pour tout.

Angoissée, Consuelo consulta sa montre. Le temps coulait à une vitesse effarante.

— Il faut que je parle, fit-elle à voix basse.

Les quatre hommes se regardèrent, effarés :

— A qui ? Aux députés ? Pourquoi vous ne parleriez pas plutôt à ceux-là ?

Armando, qui venait de prendre la parole, désignait la fenêtre d'un mouvement du menton.

— Qu'est-ce que je peux leur dire ?

— La vérité. Vous leur direz qu'on vous fait chanter, que le Français est menacé de mort. Il sera peut-être tué, mais vous aurez évité une révolution dans Bogota. Et je crois même qu'on vous le rendra votre amoureux, *señora* !

L'idée était séduisante. Risquée, mais

(2) Oui, monsieur le député, je vous la passe.

Consuelo ne voyait rien de mieux à entreprendre pour sauver Gaël.

Elle appela Manuel de Alvarez pour avoir son avis.

— Risqué, dit à son tour le vieux parlementaire, mais c'est un joli coup. Et, de toute façon, tu n'as rien à perdre à cette heure, et au point où tu en es. *Vaya con Dios,* Consuelita, *vaya con Dios,* répéta-t-il lentement avant de raccrocher.

Consuelo saisit son sac et ouvrit un placard. Il y avait là un mégaphone à piles. Gaetano s'en empara. Ils ouvrirent la porte et furent aussitôt assaillis par une foule de journalistes, micros et crayons en main.

— Si vous voulez des informations, annonça froidement Consuelo, vous n'avez qu'à me suivre.

Quand elle arriva dans le grand hall du Capitole, elle pensa à ce que lui avait promis Cristofo Sanchez : « Tu seras sans cesse sous notre surveillance. Ne crains rien. »

La jeune femme ferma les yeux et se concentra longuement : elle se signa et s'avança d'un pas ferme en invoquant le nom de Gaël :

— Gaël, mon amour, aide-moi. Gaël, ô Gaël !

Jaime ouvrit à deux battants la porte massive ; une clameur monta vers elle. Les quatre *pistoleros* lui firent un rempart de leur corps. Elle les écarta d'un geste et fit un pas vers la foule :

— *Hombre,* murmura Jaime, elle est folle !

Mais il ne fit rien pour la retenir et se signa à son tour. Consuelo baissa un instant la tête et le silence, comme par magie, se fit sur l'immense place. Elle prit le mégaphone que Gaetano lui tendait.

— *Amigos*..., commença-t-elle.

Un brouhaha assourdissant lui répondit. Des sirènes de police convergeant vers la place du Capitole résonnèrent.

— *Amigos*, reprit Consuelo, on est peut-être en train de tuer l'homme que j'aime...

11

Gaël luttait furieusement pour reprendre ses esprits. Il sentait bien que quelque chose d'essentiel était en train de lui échapper, mais ne parvenait pas à l'identifier.

Consuelo ! Voilà, il s'agissait de Consuelo ! Il devait prendre l'avion avec elle pour Carthagène. C'était ça : Carthagène, la ville des pirates dont son imagination enfiévrée d'enfant lui faisait naguère mille descriptions enthousiastes.

Le jeune homme était allongé sur un poncho jeté à même le sol, au milieu d'une pièce de béton aux murs froids. La mémoire lui revenait, de cette brève et violente bagarre qui s'était terminée très vite quand il avait senti le chloroforme.

Consuelo ! Carthagène. Il fallait se dépêcher de la retrouver. Elle avait besoin de lui !

Il tituba en se levant et fit deux pas vers la porte ; elle n'était pas fermée à clef ; il la poussa. Dans une pièce voisine, trois hommes étaient attablés et buvaient du café. Gaël prit sa respiration et fonça, assommant le premier de ses deux poings réunis qu'il abattit comme une massue.

Les deux autres se levèrent. Le Français cassa

le genou du premier d'un coup de pied ;
l'homme s'écroula en hurlant.

Le troisième bondit sur lui et Gaël sentit la
brûlure d'une lame sur son visage. Pas grave. Il
s'empara du pot de café, le lança au visage de
l'homme, l'aveugla, profita de son bref désarroi
pour l'abattre aussi. Il se battait presque mécani-
quement tout en se demandant où était
Consuelo.

Son dernier adversaire à terre, il se pencha sur
l'homme auquel il avait brisé le genou et le
secoua :

— Où est la *señora* Ayala ?

— Je ne sais pas !

Gaël saisit l'homme au cou et serra. L'autre
hurla.

— Où est la *señora* ? Vite !

— *Señor,* je ne sais pas.

Il disait vrai. Ce n'était qu'un misérable
comparse, comme on en trouvait en Colombie,
prêt à tout pour une poignée de *pesos.*

— Quel jour sommes-nous ?

— Lundi, *señor,* lundi. Pourquoi ?

C'était le jour où Consuelo devait parler
devant les députés. Il savait combien la jeune
femme redoutait cette épreuve et il n'était pas à
ses côtés...

Il se rua dehors et la lumière du jour l'aveugla. Sa montre, miraculeusement, était toujours
à son poignet et cela l'étonna. Les bras ballants,
il cherchait à s'orienter. Où était-il ? Où était
Bogota ?

Deux gamins le regardaient et se demandaient
ce que le *gringo* pouvait bien chercher ainsi.

— Où est Bogota ?

C'était sûr, le *gringo* était fou ! Ils s'en doutaient bien, d'ailleurs.

Gaël répéta sa question et l'un des enfants leva la main d'un geste vague.

— Comment puis-je y aller ?

Les deux gamins se décidèrent vite :

— Combien ?

— Mille *pesos* (1).

Pour ce prix, ils lui auraient apporté la lune. Mais le plus âgé des deux se contenta de lui faire signe et il les suivit jusqu'à un garage de tôle au milieu duquel dormait une vieille moto de petite cylindrée. Il monta dessus, appuya sur le démarreur, lança mille *pesos* aux deux enfants et fonça vers Bogota, silhouette étonnante, perchée sur le cadre rouillé du vieil engin.

Il fut vite à Bogota, s'orienta, fonça vers la place Bolivar. Elle était cernée par des policiers et une rumeur folle montait de la foule. Il tenta de se frayer un passage mais un policier casqué l'arrêta :

— Vos papiers !

Gaël ne les avait pas sur lui. On vole trop à Bogota pour qu'un homme averti emmène son portefeuille.

— Qui êtes-vous ?

— Mission de l'UNESCO.

— Montez dans le car, intima le policier.

— Non. Il faut que j'aille au Capitole. J'ai rendez-vous.

— Avec qui ?

— La *señora* Ayala de Villarosa !

En prononçant le nom de Consuelo, Gaël s'attendait naïvement à ce que le policier lui

(1) Environ 120 francs.

fasse une courbette ! Il entendit un rugissement :

— Cette révolutionnaire ! Savez-vous qu'il y a
presque la révolution à cause d'elle ? Embar-
quez-le ! Je veux tout savoir sur ce *gringo*. Allez !

Quatre hommes se saisirent de Gaël et le
poussèrent vers un grand car gris qui attendait.
Il entendit une voix qui dominait les autres, sur
la place, et crut avoir une hallucination :

— Je vous en supplie, qui parle en ce
moment ?

— La *señora* de Ayala.

L'homme avait prononcé les quatre mots avec
de la dévotion. Gaël tenta sa chance. Il sortit un
nouveau billet de mille *pesos* de sa poche. Le
dernier.

— Cours la voir ! Dis-lui que je vais bien !
Dis-lui que je suis là !

Le policier saisit le billet, regarda autour de
lui, fit monter Gaël à bord du car d'une bour-
rade, puis se faufila dans la foule vers la jeune
femme qui tenait toujours le mégaphone.

Le spectacle était hallucinant. Sur les marches
de l'Assemblée, Consuelo, entourée de Jaime et
de ses amis, surveillée de près par les hommes
de Sanchez, continuait de parler à une foule que
le policier, en expert, évalua à cinquante mille
personnes.

Derrière la jeune femme, les députés. Sortis
de la Chambre où l'absence de Consuelo les
avait privés de spectacle, ils étaient venus assis-
ter au discours de leur collègue sur la place
publique.

L'envoyé spécial de Gaël s'approcha de
Consuelo. Des bras vigoureux s'emparèrent de
lui :

— *A donde vas, amigo ?*

— J'ai un message pour la *señora diputada*.

— Donne.

Le policier refusa énergiquement de s'expliquer davantage.

— Je veux lui parler à elle.

— De qui est le message ?

— D'un *gringo* qui parle bien l'espagnol.

Jaime et Gaetano jurèrent ensemble :

— Où est-il ?

— ... la dignité de toutes les femmes et de tous les hommes de ce pays, poursuivait Consuelo de sa belle voix rauque qui portait aux quatre coins de la place Bolivar, et l'espérance de chacun dans ce pays...

Jaime s'approcha d'elle et lui parla à voix basse. Consuelo devint livide au nom de Gaël. Elle eut de la peine à achever sa phrase, fit en sorte de susciter des applaudissements que la foule ne songeait pas à lui ménager et se pencha vers Jaime. Celui-ci fit un signe au policier. Mais l'homme ne voulait pas se montrer en public et Consuelo dut venir vers lui.

— Il dit qu'il va bien et qu'il est dans le car de police numéro 4239, là-bas, au coin de Bolivar et du palais de Justice.

Consuelo jeta un œil au hideux bâtiment moderne qui déparait la belle ordonnance de la place et son cœur battit la chamade.

— Amène-le-moi. Cours.

— Je ne peux pas ! Le lieutenant a dit qu'il fallait l'interroger et tout savoir sur lui !

— Alors, cours lui dire que je vais m'occuper de lui. Et puis non, attends...

L'homme partait déjà.

— Dis-lui que je l'aime. Tu m'entends ? Que je l'aime !

— *Si, señora !* Que tu l'aimes ! *Si, señora.*

Il s'enfuit en courant comme un fou et la foule s'ouvrit miraculeusement devant lui.

Consuelo, radieuse, empoigna de nouveau le mégaphone, sa voix s'enfla :

— Mes amis je vous ai dit pourquoi j'étais venue vous parler ici. Et pourquoi on voulait m'empêcher de parler au sein même de l'Assemblée. Je vous ai raconté le chantage et les menaces. Je vous ai tout dit. Maintenant je peux vous dire aussi que je suis libre ! Parce que l'homme qu'on avait enlevé pour faire pression sur moi est libre, ou presque... Je viens de l'apprendre. Il est vivant !

Une longue clameur lui répondit et un frémissement parcourut la foule, saluant l'amour vainqueur. Elle poursuivit :

— Je vais pouvoir maintenant dire tout ce que je voulais aux députés. Si eux n'ont pas eu le courage de m'entendre, vous vous l'aurez ! Et vous saurez la vérité que le Parlement ne veut pas connaître.

Jaime et ses camarades se consultèrent du regard. C'était trop dangereux. Consuelo était à la merci de n'importe quel ennemi glissé au milieu de la foule. Personne ne pourrait rien pour elle. Jaime tenta de s'approcher d'elle et de la convaincre. Elle rejeta sa requête d'un haussement d'épaules :

— Trouve-moi Gaël, s'il te plaît ! Amène-le ici...

Jaime tenta encore de parlementer ; mais on ne discute pas facilement en face d'une foule de cinquante mille personnes cernée par les forces de l'ordre. Il fit signe à Gaetano et disparut. « Au coin du palais de Justice », avait dit le policier...

Consuelo fit une légère pause. Quelqu'un dans la foule lui tendit une bouteille de jus de fruits qu'elle but au goulot sous les encouragements ironiques et affectueux de la foule. Elle jeta un coup d'œil à la vierge de la Guadalupe, là-haut, sur la montagne, et murmura une prière rapide : « Protège-moi ! »

Il fallait se hâter, profiter de son avantage, ne pas laisser la foule s'éparpiller, maintenir le contact et le charme qui passait entre elle et la masse sombre qui oscillait doucement devant elle. Pourvu que Jaime trouve vite Gaël : elle ne serait vraiment heureuse que dans ses bras ; tant qu'elle n'y serait pas, elle douterait de son sauvetage.

— J'ai promis l'autre jour que je donnerais des noms et que je dirais, publiquement, qui j'accuse de corruption ! Et les preuves de ce que j'avance, je les ai apportées pour vous les montrer. Ce ne sont que des photocopies. Il va de soi que je possède les originaux et que je suis prête à les montrer à qui de droit quand on le souhaitera.

La foule se rapprocha lentement, inexorablement. Indiens de *l'Altiplano* en ponchos et feutres ronds, employés maigres des ministères, *gamines* dépenaillées, *esmeraldos* et *guaperos,* bourgeois en goguette, soldats en permission, femmes du peuple, petits commerçants, cireurs de chaussures, policiers plus curieux que vigilants, tous vibraient d'espoir, fascinés par la beauté et l'énergie de Consuelo.

— C'est un ange !

L'exclamation que Consuelo avait déjà entendue plusieurs fois depuis quelques jours fusa à nouveau dans la foule, saluée par un tonnerre d'applaudissements.

Les huissiers de l'Assemblée prirent position derrière elle. Il faut protéger les membres du Parlement avait dit le Président, quelles que soient leurs opinions et quoi qu'ils disent !

Il craignait vraiment pour la vie de Consuelo...

Mais la foule vit d'un mauvais œil l'arrivée des hommes en gris sur le perron du Capitole, la ressentit comme une menace. Un grondement sourd la parcourut et, pour la première fois, Consuelo eut peur de ce qui pouvait se passer.

Semblable à l'apprenti sorcier, elle avait déclenché des passions porteuses d'une violence telle que, personne, ne pourrait arrêter leur déchaînement si la moindre étincelle surgissait.

Se retournant, elle vit au premier rang derrière elle Rafaël Montello, blanc comme un linge, les poings serrés, les yeux brillants de haine. Il était entouré d'un grand nombre de députés aussi inquiets que lui.

— Rentre dans l'hémicycle, tu vas déclencher une révolution. Je t'en prie, Consuelo, je t'en supplie...

Elle reconnut, juste derrière elle, la voix de Ramon, basse et insistante, et hésita une seconde.

Un cri jaillit de la foule :

— Dans l'Assemblée ! Dans l'Assemblée ! Le peuple dans l'Assemblée !

Une formidable poussée jeta littéralement en avant les premiers rangs des spectateurs et, dans un grondement de fauve, la foule se rua à l'intérieur du Parlement. Une petite équipe d'hommes s'était précipitée pour faire un rempart de leur corps à Consuelo : les sbires de Cristofo Sanchez.

Jaime et ses amis tentèrent désespérément de résister à la fantastique poussée et d'attirer Consuelo dans une encoignure de la grande porte massive. Ils n'y parvinrent qu'à moitié.

Hurlante, la foule continuait de s'engouffrer dans les couloirs, cherchant l'hémicycle. Des sirènes de police hurlèrent, toutes proches. Consuelo réalisa soudain que cela allait mal tourner. Ce n'était peut être pas la révolution ; mais les choses risquaient de devenir dramatiques.

— Il faut que je rentre là-dedans, moi aussi, dit-elle à Jaime d'une voix à peine audible. Il faut les arrêter avant que cela ne tourne mal !

Si seulement Gaël était là ! Il saurait, à lui seul, la protéger et l'aider. La tête lui tourna un instant sous l'effet de l'angoisse, de la tension nerveuse et de la sorte d'excitation aussi qu'elle éprouvait.

Elle avait par-dessus tout conscience qu'elle devait stopper l'avance de cette marée humaine, la canaliser. Personne d'autre qu'elle ne pourrait le faire.

La foule reflua brutalement vers l'extérieur et Consuelo fut littéralement arrachée à son escorte. Ballottée par une masse fluctuante d'hommes et de femmes hurlant et gesticulant, elle descendit malgré elle les quelques marches du Capitole et se retrouva sur la place Bolivar.

— Attention à la députée ! cria à côté d'elle un homme qui l'avait reconnue.

Mais personne ne l'entendit. La bousculade se

fit plus vive. Les sirènes de police étaient toutes proches maintenant. « Pourvu qu'ils ne tirent pas ! » pensa Consuelo.

Elle tenta de se raccrocher à quelqu'un, à quelque chose ; mais elle était seule dans une foule sur laquelle personne n'avait plus de pouvoir.

Soudain son nom fut hurlé, juste devant elle :
— Je suis là !

Mais son cri se perdit dans le grondement énorme qui déferlait sur la place. Une nouvelle vague l'entraîna vers l'avant. Une poussée formidable la renversa. Elle mit ses bras au-dessus de sa tête pour se protéger. La dernière chose qu'elle entendit fut :
— A l'Assemblée !

Elle pensa encore « Gaël ! » puis perdit connaissance.

Consuelo se réveilla à l'infirmerie de l'Assemblée. Un homme en blouse blanche se tenait penché au-dessus d'elle quand elle ouvrit les yeux et elle entendit une voix douce lui dire de se détendre.
— Qu'est-ce qui s'est passé ? demanda-t-elle. Il y a longtemps que je suis ici ?
— Deux heures, répondit Jaime.

Consuelo tressaillit sur son lit et se frotta les yeux :
— Tu as trouvé Gaël ?
— *Si, señora.* Je l'ai trouvé.
— Où est-il ?
— Ici, mon amour !

La haute silhouette qui se penchait maintenant sur elle et prenait ses lèvres avec une tendresse infinie était bien celle dont elle avait tant rêvé. Elle referma ses bras autour du cou de Gaël, ses larmes jaillirent qu'elle ne put retenir.

Gaël caressait les longs cheveux noirs couverts de poussière et la berçait lentement. Le médecin et les assistants se retirèrent.

Jaime fut le dernier à sortir. Il ferma doucement la porte et s'y appuya avec un sourire attendri.

12

Quand Consuelo voulut sortir de l'infirmerie, le médecin de garde à la chambre des Députés accourut, flanqué d'un homme pâle, au regard fuyant, qu'il présenta comme le commissaire Pimenta.

— Je vais vous signer votre bon de sortie, *señora* de Villarosa, et vous souhaiter toutes les prospérités du monde, fit le médecin.

— Je crains de ne pouvoir en faire autant, intervint Pimenta. J'ai ordre de ne pas vous arrêter, madame, mais je dois aussi vous donner celui de ne pas quitter Bogota.

— Et pourquoi ne quitterais-je pas Bogota, s'il vous plaît ?

— Il y a eu aujourd'hui des incidents graves devant cette Assemblée. Vous êtes à l'origine de ces troubles. N'importe quel citoyen responsable de cet état de choses aurait été mis en prison. Vous êtes député. Vous avez de la chance...

— Et si je veux aller ailleurs, à Medellin, par exemple, ou à Villa de Leyva ?

— A vos risques et périls, madame. Je vous transmets simplement les ordres que j'ai reçus.

— Il n'y a pas eu de victimes aujourd'hui, j'espère ?

— En vérité, non, et c'est heureux pour vous !

Pimenta et le médecin se retirèrent enfin. Consuelo et Gaël étaient seuls. Il prit Consuelo dans ses bras et la serra contre lui avant de l'embrasser à perdre haleine. Consuelo s'enflamma, tout son corps se tendit vers l'homme qu'elle aimait. Lui, ne se dominant plus, promenait ses mains sur les belles épaules, écartait les boutons du corsage, découvrait la gorge de Consuelo. Elle sursauta, reprit ses esprits. Ils étaient dans l'infirmerie et n'importe qui pouvait entrer d'une seconde à l'autre !

— Pas ici. Viens, allons-nous-en.

— Chez toi !

— Oui. Ensuite on partira pour Carthagène.

— Ce malheureux policier n'avait pas l'air d'accord.

Consuelo réfléchit. L'idée que son bonheur pût dépendre d'un policier borné lui parut insupportable. Elle s'était trop battue pour Gaël, elle avait eu trop peur pour lui, et lui pour elle ; il n'était pas question de se soumettre et de vivre au rabais pour complaire aux consignes de Pimenta.

— Tu ne m'as pas dit que tu savais piloter un avion ?

— C'est vrai. Pas un avion de ligne, mais un avion de tourisme, oui, ça c'est faisable.

— Louons un avion et partons. As-tu entendu parler de San Andres ?

— C'est une île des Caraïbes, située à 800 kilomètres des côtes de Colombie — mais c'est une île colombienne — face au Nicaragua. Il paraît que les plages, sous les cocotiers, comptent parmi les plus belles du monde. Je peux même te dire qu'on vient d'y ouvrir un hôtel formidable.

— Est-ce qu'on peut y aller en avion privé depuis Bogota ?

— Ça dépend de l'avion !

— Allons en louer un. Tout de suite. Fuyons cette ville de fous...

— Je t'aime, Consuelo !

Elle se serra contre lui, heureuse, éperdument, et lui offrit de nouveau ses lèvres. Il les prit longuement, savamment. Elle s'écarta juste pour dire :

— Moi aussi, je t'aime. *Te quiero*, Gaël, *te quiero !* Mais je veux t'aimer librement. Je veux être à toi ! Je veux aussi que ce soit le plus beau jour de ma vie. Car ce sera le plus beau jour de ma vie. O Gaël, Gaël !...

La vieille Fiat était toujours là. Ils montèrent dedans, Gaël casa comme il put ses grandes jambes dans l'habitacle étroit. Jaime et Gaetano avaient miraculeusement retrouvé la Buick jaune et quand la jeune femme se lança dans la septième avenue, les quatre gardes du corps suivaient. Elle se promit de les remercier de leur dévouement. Sans eux, elle serait sans doute morte aujourd'hui.

Elle avait aussi une dette envers Cristofo Sanchez. Celle-là aussi il faudrait la payer.

Quand la voiture s'arrêta devant la porte de Consuelo, la vieille Maria-Luisa sortit en pleurant d'émotion, mais Consuelo s'empressa de la rassurer. Elle sursauta en voyant, sur le trottoir opposé au sien, une voiture grise, lourde et anonyme, qui venait de s'arrêter. Ses occupants observèrent la façade mais ne descendirent pas. Des policiers. Elle était décidément bien gardée !

Elle précéda Gaël à l'intérieur. Tout y était parfaitement rangé. Maria-Luisa avait fait du bon travail. Consuelo la remercia et la vieille femme partit, tranquillisée.

Décrochant son téléphone, elle appela une société privée de location d'avion et passa la communication à Gaël. Oui, on pouvait louer un avion à grand rayon d'action. Oui, demain matin. Non, c'était impossible le soir même. Le *señor* était étranger, il ignorait certainement que la nuit, tout était contrôlé en Colombie, où l'état d'urgence était appliquée depuis très longtemps.

Gaël raccrocha et prit Consuelo dans ses bras :

— Demain matin, mon amour ! Il faudra semer ces imbéciles de policiers, mais on y arrivera. Viens maintenant !

Elle leva vers lui un visage aux yeux étincelants de bonheur et prit Gaël par la main. Il l'arrêta :

— Je ne veux plus te perdre. Jamais. Je ne le supporterais pas. Je veux te garder parce que je t'aime. Je veux t'épouser. Tu veux bien ?

— Tu es fou ! Nous nous connaissons à peine.

— Je t'aime.

— Moi aussi, je t'aime. Et je serai heureuse et fière d'être ta femme. Quand tu voudras, où tu voudras ! Moi non plus je ne supporterais pas qu'on nous sépare à nouveau. Mon amour !

Gaël défit presque religieusement les boutons de la robe rouge et le corps de Consuelo lui apparut dans toute sa splendeur.

— Que tu es belle, s'écria-t-il, mon Dieu que tu es belle !

La jeune femme frémit et se serra contre lui. Elle avait peur de ce qui allait se passer mais elle le souhaitait de toutes ses forces et l'avoua :

— J'ai peur. Peur de toi, peur de moi, de tout ! Je t'aime. Je veux que tu sois heureux avec moi. Ne me laisse plus jamais. C'est trop affreux !

— Je t'aime aussi, Consuelo. Je crois que moi non plus je n'ai jamais eu aussi peur de ma vie.

Elle ferma les yeux tandis qu'il l'emportait vers sa chambre. Le corps de la jeune femme tremblait dans ses bras. Il se pencha vers elle et l'embrassa. Elle lui rendit son baiser...

On frappa à la porte. Gaël sentit Consuelo se raidir dans ses bras. Affolée, elle jeta un regard vers la serrure. Elle était fermée à clef.

— N'ouvre pas, souffla-t-elle. N'ouvre jamais ! Garde-moi. Serre-moi contre toi.

De l'autre côté de la porte, c'était le silence.

« Pourquoi Armando et Jaime se taisent-ils ? » se demanda Gaël. D'habitude ils se faisaient reconnaître.

Il déposa Consuelo sur le grand lit et soupira. Elle se releva d'un bond, remit sa robe, chuchota :

— Il faut ouvrir, Gaël !

Il la contraignit à s'effacer contre un mur, se dirigea vers la porte, l'ouvrit ; deux hommes entrèrent : Pimenta et un autre policier, tous deux en civil.

Derrière eux, Jaime braquait un gros pistolet. Et derrière Jaime, lui emboîtant le pas, deux policiers. Consuelo eut envie de rire, mais l'heure ne se prêtait guère à la plaisanterie :

— Je suis désolée, *señora :* mon collègue et moi-même venons nous assurer de votre personne. Dans votre propre intérêt.

— *Señor* commissaire, je vous remercie de votre sollicitude, mais je souhaite demeurer juge de ce qui est de mon intérêt ou pas. Par ailleurs, je vous ferai remarquer qu'il fait nuit et que nulle part au monde on n'arrête les gens la nuit.

— Aussi ne suis-je pas là pour vous arrêter, *señora,* mais simplement pour vous prier de me suivre. Dans votre intérêt, encore une fois.

— Et moi, je ne veux pas vous suivre !

Pimenta fit un signe à ses hommes. Ils disparurent dans le jardin en refermant la porte, perplexes. Jaime, lui, resta dans le salon.

— *Señora,* reprit le commissaire, je n'ai pas de mandat. Mais je peux vous contraindre.

— Qui vous donne vos ordres ?

— Ils viennent d'en haut, madame.

— Vraiment ? Eh bien, allez dire « en haut » que je m'en moque. Je ne vous suivrai pas.

Pimenta soupira, comme un homme qui travaille à contrecœur. Jaime se plaça devant la porte et interrogea Consuelo du regard ; celle-ci, à son tour, consulta Gaël. Il remua la tête en signe d'approbation.

Alors, très vite, Jaime frappa, assommant l'adjoint d'un maître coup de poing sous le menton. L'homme s'écroula sans un cri. Pimenta pâlit et sortit son arme. Gaël la lui arracha sans peine. Le commissaire manquait de conviction.

— Vous êtes folle, *señora* Ayala. Vous ne savez pas ce que vous faites !

— Possible. Mais je sais que vous faites un vilain métier et, pour l'instant, ça me suffit.

Changeant de ton, elle ordonna :

— Dites à vos hommes de revenir.

— Que voulez-vous leur faire ?

— Aucun mal.

— Et si je refuse ?

Consuelo haussa les épaules et se dirigea vers la porte qu'elle ouvrit calmement. Les deux policiers attendaient dans le jardin, surveillés par Armando. Les trois hommes se regardaient avec défiance.

— Le commissaire Pimenta vous demande, dit-elle avec un exquis sourire. Venez prendre un *tinto* avec nous. Ne restez donc pas dehors !

Quand les policiers entrèrent dans la pièce, ils se trouvèrent nez-à-nez avec Jaime et son gros pistolet. Gaël passa derrière eux et les désarma.

— Enfermez-les dans la buanderie et surveillez-les, ordonna Consuelo.

Jaime obéit sans ciller. Gaël la regardait avec étonnement :

— Ma parole, je suis tombé amoureux d'un chef de bande.

— Tu n'as pas tout vu, chéri.

Elle décrocha le téléphone et s'assura que les trois policiers ne pouvaient pas l'entendre. Elle composa ensuite le numéro de *Los Delicias del Paraiso,* s'annonça et finit par avoir Cristofo Sanchez au bout du fil.

— Je voudrais un avion de quatre places, demain matin, à 6 heures, le plein d'essence fait et les papiers en règle.

— Et le pilote ? demanda placidement Sanchez.

— J'ai ce qu'il faut.

— Ce sera très cher, *querida,* très cher.

— Tu seras payé largement.

148

— A propos, je te dois de l'argent sur ton émeraude. Elle en valait beaucoup.

— Garde tout. Si je décolle demain matin à six heures, je te laisse mes dossiers.

— Tu es folle !

— Tu ne veux pas ?

L'homme, au bout du fil, réfléchissait rapidement. Consuelo lui offrait un moyen de chantage colossal sur les hommes politiques, il s'en rendait compte. Avec ça, il ferait la pluie et le beau temps. Il le comprit très vite.

— Tout le dossier ?

— Tout.

— Je te rappelle dans un quart d'heure.

Consuelo se tourna vers Gaël et se blottit contre lui, sous le regard gêné et attendri de Jaime. Le jeune homme la serra contre lui et elle sentit son trouble renaître. Comme il était fort, rassurant ! Il saurait la protéger. Elle murmura :

— Je crains que nous n'allions jamais à Carthagène, mon amour. En tout cas, pas dans les jours qui viennent. Mais je crois que le Panama est un très joli pays.

Gaël comprit tout de suite :

— C'est surtout le pays le plus proche d'ici, n'est-ce pas ?

— Exact. Tu es d'accord ?

— Tout à fait. Il y a longtemps que je voulais aller voir le canal de Panama. Nous nous poserons sur la base américaine. A moins qu'ils ne nous tirent dessus ?

— Jaime, demanda Consuelo, venez-vous avec nous ?

Le garde du corps secoua la tête :

— Merci, mais qu'y ferais-je ? Je vais rester

ici. Si vous voulez bien parler pour moi au *señor* Sanchez, je serais très content.

— Il n'est pas très recommandable, Jaime.

Le garde du corps éclata d'un rire extraordinairement juvénile :

— Moi non plus, *señora,* je ne suis pas recommandable…

Ils rirent tous les trois. Le téléphone retentit. C'était Cristofo Sanchez.

— D'accord. Avant d'arriver à El Dorado, il y a une piste de secours. L'avion est un Cessna bimoteur ; il sera en bout de piste. Le plein sera fait ; les papiers, en règle. Je ne peux pas en faire plus.

— Tu es formidable. Je vais donner à Jaime les documents que je t'ai promis. Il te les apportera demain matin — enfin, tout à l'heure. Tu peux lui trouver un job chez toi ? C'est un ami et un homme sûr.

— Je le ferai.

Consuelo raccrocha et se tourna vers Jaime :

— Je voudrais que tu m'amènes Paco. Je voudrais que tu ailles à Villa de Leyva et que tu restes avec lui jusqu'à ce que j'appelle pour te dire où aller et comment. Puis-je encore te demander cela ?

Le garde du corps inclina gravement la tête. Consuelo venait de lui trouver un emploi ; il lui devait bien ça…

Consuelo se tourna vers Gaël :

— Crois-tu que ces messieurs ont entendu notre conversation ?

— Je ne pense pas. De toute façon, la porte est épaisse.

— Alors, je fais mes bagages. Viens avec moi.

150

Il la suivit dans sa chambre ; elle y saisit une grosse valise rouge très élégante et y rangea rapidement, mais avec soin, quelques vêtements.

Appelant à elle les trois gardes du corps qui veillaient encore dehors, Consuelo demanda à Armando de veiller sur Pimenta et ses hommes jusqu'à sept heures du matin. Ensuite ils seraient libres.

— Gaetano et Jep Francisco, si vous le voulez bien, vous pourriez nous escorter jusqu'au *Hilton*. Ensuite, ce sera à la grâce de Dieu...

Dans sa chambre du dix-septième étage, Gaël voyait le téléphérique de Montserrat et la Vierge de la Guadalupe. La nuit était merveilleusement claire et douce. Gaël ouvrit la fenêtre et serra Consuelo contre lui.

— Je t'aime, Consuelo, je t'aime à en mourir...

— Moi aussi, je t'aime, mais je ne veux pas mourir. Plutôt vivre avec toi, et pour toi. Je t'aime tant que je ne parviens pas à y croire et que parfois j'ai mal à mon amour pour toi, tant il est fort.

Leurs lèvres se joignirent et Gaël reprit sa caresse. Il sentait le corps de Consuelo s'offrir.

— Mon bel amour !

Il déshabilla entièrement la jeune femme. Elle tremblait légèrement.

— Tu as froid ?

— Non.

Il la lâcha un court instant pour aller fermer la fenêtre. La Vierge de la Guadalupe semblait les bénir du haut de la montagne. Comme, de toute éternité, elle bénirait ceux qui s'aimaient.

Quand il se retourna vers Consuelo, elle lui tendait les bras...

A six heures du matin, quand ils descendirent, ils eurent la surprise de trouver la Buick jaune garée devant la porte de l'hôtel.

— J'ai pensé que ce serait plus simple, expliqua Armando. Gaetano s'est chargé de surveiller nos amis. Ils vont bien, rassurez-vous.

Les deux jeunes gens éclatèrent de rire. Eblouis par leur amour tout neuf, ils ne pensaient qu'à l'avenir.

Dans la voiture, Consuelo se serra dans les bras de l'homme qu'elle aimait. Ils roulèrent en silence. L'autoroute était déserte. Armando ralentit soudain et Consuelo se redressa : Cristofo avait tenu parole.

Un bimoteur gris et bleu les attendait. Un rayon de soleil brilla sur le plexiglass du cockpit.

Ils y montèrent rapidement et Gaël mit le moteur en route avec une facilité qui stupéfia Consuelo : ce diable d'homme savait vraiment tout faire. Il poussa le régime et les deux turbines rugirent. L'avion roula sur la piste.

Gaël et Consuelo se retournèrent au même instant pour faire un signe d'adieu à Armando. Celui-ci agitait les deux bras. L'autoroute était toujours vide et la tour de contrôle de l'aéroport se contenta du minimum. Tout était en règle.

L'appareil décolla face au soleil levant qui fit un instant briller la grande statue blanche sur la montagne Guadalupe. Gaël mit le cap à gauche, vers Panama. Vers la liberté.

152

— Je t'aime, dit-il, à demi tourné vers Consuelo.

Très bas, avec une indicible tendresse, il annonça :

— Mon amour, il faudra faire venir tout de suite Paco près de nous... et lui demander s'il a envie de devenir français.

— Français, pourquoi ?

Alors, ironique, il soupira :

— Belle, cultivée, courageuse, mais peut-être moins intelligente que je ne le croyais.

Consuelo avait compris. Des larmes lui montèrent aux yeux.

— Tu veux être son père ?

— Oui, pour qu'il n'oublie jamais l'autre. Mais, pour cela, il faut d'abord que je devienne le mari de sa mère. Tu es de mon avis ?

Ils naviguaient maintenant au-dessus des nuages et la carlingue était inondée de soleil.

Consuelo ferma les yeux.

— Je suis de ton avis...

COMMENT NE PLUS ÊTRE TIMIDE

Le mot "timidité" recouvre en fait toute une série de malaises allant du manque d'assurance à la difficulté de communiquer avec les autres. Cause d'échecs sentimentaux et professionnels, elle peut mener au désespoir ou aux perversions.

Le docteur Jacqueline RENAUD a utilisé les applications modernes de la psychologie du comportement, et sa longue expérience de psychothérapeute, pour proposer un véritable "mode d'emploi de soi-même" qui déborde largement la question de la timidité. Ce livre, en effet, est un itinéraire qui, en plusieurs "séances", et avec de nombreux tests, vous entraine vers la connaissance de votre personnalité, de votre forme de timidité, puis dans la pratique d'exercices qui peuvent transformer votre vie.

Instrument pour s'apprendre à mieux vivre, il offre aux parents de nombreux moyens d'aider leurs enfants à affronter l'avenir avec confiance.

Un volume de 290 pages 5 x 8 — $7.95.

LES RICHES SONT DIFFÉRENTS

SUSAN HOWATCH
auteur de Penmarric

**les riches
sont différents**

PRESSES DE LA CITÉ, Montréal

Paul, le richissime banquier américain. Dinah, la jeune Anglaise pauvre et ambitieuse... Un homme, une femme qui dominent cette histoire couleur d'amour et d'or. Couleur de sang, aussi.

Entre la très vieille Europe et l'Amérique encore jeune, sur un fond d'événements qui bouleversent le monde — la Grande Dépression, la Seconde Guerre mondiale — se déroule une tapisserie aussi longue que la "Tapisserie de Bayeux", aussi somptueuse que la "Dame à la Licorne"; une tapisserie aux multiples personnages: les jeunes et les moins jeunes, les doux et les violents, les avides et les désintéressés, les purs et les retors..., tous pris dans un maelström de passions, tous dominés par la complexe figure de Paul, manipulateur de marionnettes et marionnette lui-même, manipulé dès son enfance par un rude ennemi: l'impitoyable maladie.

Certains meurent, d'autres naissent. L'influence de ceux-là se prolonge dans la vie de ceux-ci. On songe à la tragédie grecque, où la vengeance des dieux se poursuivait d'une génération à l'autre...

Et, sans jamais se perdre parmi les fils savamment entrecroisés de son ouvrage, Susan Howatch, dont on n'a pas oublié le "Penmarric", mène, cette fois encore, la ronde de ses personnages autour d'une ancestrale demeure: Mallingham.

Un volume de 608 pages format 6 1/8 x 9 1/2 — $16.95

ÉCRIRE EN LETTRES MOULÉES

Veuillez me faire parvenir le volume
Les riches sont différents
Ci-joint le paiement, soit $16.95

Nom..

Adresse ....

Ville... Code.............................

FAIRE CHÈQUE OU MANDAT-POSTE AU NOM DE

LES PRESSES DE LA CITÉ LTÉE
9797 rue Tolhurst, Montréal, P.Q. H3L 2Z7

MISSISSIPPI

Est-il possible, vers 1860, à une jeune quarteronne, belle et blanche, de se libérer des traditions qui la tiennent à l'écart du monde des blancs, sans quitter la Louisiane pour gagner un Etat antiesclavagiste du nord des Etats-Unis?

C'est à travers mille et une aventures bouleversantes que Leah, notre héroïne, trouvera la réponse à cette question. Une réponse qui l'obligera à choisir entre Baptiste Fontaine, le créole qui a été son amant et qu'elle aime, et James Andrews, l'homme du Nord qui lui promet un monde libre.

Mais à travers la vie de Leah, on découvre aussi les coutumes de la riche société créole nourrie de culture franco-espagnole, les mystérieux rites vaudous pratiqués par les noirs dans les bayous, la vie haute en couleur du Vieux Carré, le quartier français de La Nouvelle-Orléans, et les affres de ce grand port du Sud profond, en proie épidémie de fièvre jaune sans précédent, puis aux déchaînements de l'implacable Guerre de Sécession de la lourde occupation par les Yankees.

Une fresque haute en couleur, surtout un grand roman d'amour dans le cadre de cette Louisiane que les Français réapprennent à connaître.

Un volume de 288 pages format 6 1/8 x 9 1/2 — $11.95

BELLE FONTAINE

La suite de MISSISSIPPI, aussi émouvante et haute en couleur que le premier volume de Barbara Ferry Johnson.

Dans une Louisiane profondément meurtrie par la guerre de Sécession, Belle-Fontaine, la vieille plantation familiale des bords du Mississippi sur laquelle la fatalité semble s'acharner, retrouvera-t-elle sa splendeur d'antan?

Aura-t-elle pour maîtresse la blonde Catherine, amie d'enfance de Baptiste Fontaine, le beau créole désormais infirme, ou Leah, la brune au sang mêlé, que courtise l'avocat nordiste James Andrews?

Le vrai visage de l'Amérique des années 1865-1870 se dévoile au fil de ces pages où s'entrecroisent les destinées amoureuses. Un pays de contrastes saisissants entre la vie trépidante du Vieux Carré de La Nouvelle-Orléans qui se relève du siège yankee, et la vie tranquille mais non sans charme d'une bourgade de l'Indiana, encore marquée par les traditions pittoresques des premiers pionniers. Du nord au sud, un point commun: le règne de la violence, avec ses règlements de comptes au fusil de chasse, ses enlèvements de femmes ou d'enfants, ses lynchages et ses incendies criminels...

Un volume de 256 pages format 6 1/8 x 9 1/2 — $10.95

Achevé d'imprimer
en mars mil neuf cent quatre-vingt-deux
sur les presses de l'Imprimerie Gagné Ltée
Louiseville - Montréal.
Imprimé au Canada